JANE PITT

Arc-en-ciel
à vendre

Traduit de l'anglais
par Jazenne Tanzac

HEARTLINES

L'édition originale de ce roman
a paru en langue anglaise
chez PAN BOOKS, Ltd, Londres, sous le titre :
RAINBOW FOR SALE

HACHETTE, 79, BOULEVARD SAINT-GERMAIN, PARIS VIᵉ

AUJOURD'HUI

*I*l y a des jours, quand je regarde ma ville, où je me demande vraiment comment ça peut exister, des monstruosités pareilles. Elle n'a pas de forme, elle se développe dans tous les sens comme un jeu de Lego auquel on rajouterait tout le temps des pièces.

Quand on grimpe tout en haut de l'Old Knoll à la tombée du jour — l'Old Knoll, c'est cette vilaine proéminence verte plantée au milieu du jardin public —, on voit se dessiner à travers la brume les rues balisées de lumières orange. Ça ressemble à une toile d'araignée mal fichue.

Partout les mêmes petites maisons, avec derrière les fenêtres la même lumière tombant des mêmes abat-jour à fronces, et sur les télés le même feuilleton.

Et dans chaque jardin, la Ford Fiesta ou la Datsun, soigneusement garée, attend qu'on lui fasse son lavage dominical et qu'on dépoussière les fanfreluches porte-bonheur accrochées derrière le pare-brise.

Et dans chaque maison, les gens sagement ins-

5

tallés devant leur écran piochent dans leur plateau-repas et avalent les pubs de la télé en rêvant qu'ils sont à une terrasse en train de déguster des After Eight.

Plus à l'est, à la sortie de la ville, après deux ponts qui ont l'air d'être en dalles de béton préfabriquées, il y a la mer.

Nous, en principe, on ne va jamais là-bas : ce n'est pas un endroit assez bien pour les gens de la ville. Les vacances, on préfère aller les passer sur la Costa del Lot, pour manger des coquillages qui nous rendent malades, boire de la sangria qui nous rend plus malades encore, et revenir avec un nouvel abat-jour à fronces ou un âne en paille *made in Taiwan*.

Ici, au bord de la mer, les boutiques de souvenirs vendent du sucre d'orge et des sucettes en forme de tête de mort.

L'été, on voit débarquer par autocars entiers des hordes de touristes et de véliplanchistes sous-doués, et ça se met à empester le hot-dog et l'oignon frit.

L'hiver, au contraire, tout est gris et désert. La mer devient brune et lance ses vagues à l'assaut des brise-lames. En ville, on n'aime pas les gens qui vivent là, on les trouve «ordinaires».

Il arrive qu'au travers des embruns se forment des arcs-en-ciel. Les arcs-en-ciel sont chez eux dans ce décor, en parfaite harmonie avec le paysage, indispensables. On ne peut pas en dire autant de cette espèce de Lego, avec ses rues piétonnes et ses poubelles orange...

C'est Tom qui m'a ouvert les yeux sur tout ça. Et ce que je vois n'a rien de drôle. Il n'y a même plus d'arcs-en-ciel. Un jour pourtant je finirai bien par en retrouver un. Et alors... je m'y agripperai de toutes mes forces, je grimperai le long de ses couleurs, j'irai me percher tout en haut, les jambes ballantes, et de là-haut j'enverrai un magistral pied de nez au Lego et à ses habitants.

Je sais que j'en suis capable.

Et ça, c'est Tom qui me l'a appris.

1

*L*ucy promena son regard tout autour de la pièce familière et sourit. Elle retrouvait l'émotion et la fièvre des Noëls de son enfance, de ces matins où, les yeux grands ouverts, elle attendait le moment d'ouvrir les cadeaux déposés au pied de son lit.

Seulement voilà, pensa-t-elle, riant intérieurement, ce n'est pas Noël, et je ne suis plus une petite fille. Maintenant je peux, si j'en ai envie, quitter l'école, quitter la maison. Je peux tout faire, absolument tout. Même, si je veux, faire le trottoir ou me lancer dans la brocante !

A cette idée, elle se mit à pouffer pour de bon. Toutes ces idées farfelues, elle les avait pêchées dans un ouvrage intitulé *Droits et devoirs à chaque âge de la vie.* La seule chose intéressante qu'elle avait trouvée au chapitre *Quinze ans,* c'est qu'à cet âge-là elle pouvait être expédiée en maison de redressement — et ça, c'était à peu près aussi improbable que le trottoir ou la brocante !

Elle croisa le regard de Tony. Il eut un large sourire et lui envoya un baiser silencieux. La tante de Lucy, Judith, bavardait avec lui, un verre à la main, tournant le dos à la foule des amis et des voisins.

Pour son anniversaire, Judith avait offert à Lucy une valise en cuir souple et un sac assorti.

« Je ne sais pas trop où tu vas pouvoir les ranger, avait-elle dit en riant. Mais maintenant que tu es une grande jeune fille, j'ai pensé qu'il te fallait une valise convenable pour partir en vacances ou en week-end. D'ailleurs, Netta aussi a trouvé que c'était une bonne idée. »

Netta était la ravissante mère de Lucy. Pour l'heure, perchée sur un des accoudoirs du divan, elle semblait émue et légèrement soucieuse. Elle parlait avec volubilité à M. Smithson qui habitait deux maisons plus loin.

C'était elle qui avait voulu cette soirée pour Lucy.

« Je sais que vous ne songerez pas à vous fiancer avant des siècles, Tony et toi, mais c'est ton seizième anniversaire, Lucy, et je voudrais que tu en gardes un bon souvenir. Que dirais-tu d'inviter les voisins, les parents de Tony, vos amis du magasin et, bien sûr, Judith ? Ça te plairait ? »

Ce jour-là, Tony lui avait offert la chaîne d'or qu'elle portait, depuis, à son cou. Lucy bavardait avec sa mère dans la cuisine. Elle s'était esquivée très vite pour essuyer les derniers couverts du souper. Elle n'avait jamais envisagé une véritable réception. Elle avait plutôt imaginé une soirée tranquille en tête à tête avec Tony à la lueur des chandelles. C'était d'ailleurs ce qu'il avait suggéré le jour où ils étaient allés ensemble acheter la chaîne.

« Un nouveau restaurant s'est ouvert dans le centre, lui avait-il annoncé en souriant. J'ai jeté un coup d'œil sur le menu, devant la porte. C'est italien, et, vu de l'extérieur, ça a l'air somptueux. Un truc avec des fleurs sur les tables et des serveurs en veste rouge. Je pourrais réserver une table pour deux. Évidemment, il faudra que je mette en gage le poisson rouge, mais tant pis... Après tout, c'est ton anniversaire. »

Elle s'était serrée contre lui, comme elle l'avait fait au beau milieu de la bijouterie, à l'amusement des deux vendeurs et du directeur, un monsieur grisonnant et voûté.

« Oui... »

Ils s'étaient pressés l'un contre l'autre.

« Ce serait formidable. Il faudra probablement qu'on prenne l'apéritif avec mes parents et Judith, mais on pourra certainement s'éclipser très vite. »

Seulement voilà, la réunion familiale s'était transformée, elle ne savait par quel miracle, en une véritable réception et le dîner italien avait dû être ajourné.

Elle joua avec sa chaîne d'or, sirota le rosé

pétillant que son père avait tenu à acheter en son honneur, puis traversa lentement la pièce pour rejoindre Tony.

Comme à l'accoutumée, il devina tout de suite sa présence. Sans même se retourner ou interrompre sa conversation, il leva un bras, le passa tout naturellement autour de ses épaules et la serra contre lui.

Elle se sentit rayonner de bonheur.

En haut, dans sa chambre qui donnait sur la ville — une vue bien médiocre —, elle était restée un long moment debout à virevolter devant le grand miroir tout en faisant danser autour d'elle les plis de la robe que ses parents lui avaient offerte pour son anniversaire.

Elle l'avait choisie elle-même à cause de sa couleur bleue, qui lui rappelait le chatoiement des vagues sous le soleil.

C'était — avait-elle pensé en s'admirant — une vraie robe d'anniversaire, d'une coupe très féminine avec de fines bretelles et un décolleté plongeant. Sa mère avait un peu hésité, craignant que cette robe ne fasse trop adulte. Mais elle plaisait tant à Lucy! Elle était différente des autres. Habillée ainsi, Lucy se sentait sophistiquée et sûre d'elle. Sensation qu'elle avait toujours voulu éprouver.

«Peut-être que je me sentirai toujours ainsi, à présent», avait-elle lancé au reflet que lui renvoyait la glace.

Puis elle avait froncé les sourcils d'un air malheureux. Comment espérer être jamais sophistiquée et sûre d'elle avec cette ridicule tignasse brune, ces taches de rousseur et cette silhouette encore indécise?

Elle s'était tiré la langue. Puis l'émotion, le sentiment d'être au bord d'une découverte l'avaient de nouveau envahie et elle s'était mise à rire.

Maintenant, elle levait son visage souriant vers Tony. Elle se blottissait contre lui et, parce qu'il était ce qu'elle avait de plus important au monde, elle se réchauffait à son contact. Elle le connaissait depuis toujours. Ils avaient habité la même rue. Ils avaient fréquenté les mêmes écoles, et ils étaient tombés amoureux l'un de l'autre au même instant, un été, lors d'un pique-nique sur la seule plage convenable de l'île. C'était le genre de couple qui faisait sourire les gens quand ils les rencontraient. Lucy sans Tony. Tony sans Lucy : c'était aussi impensable que des fraises sans Chantilly!

Elle appuya sa tête contre l'épaule de Tony et sentit son bras se resserrer autour d'elle, comme pour la rassurer.

Cela n'a rien à voir avec ce que racontent les filles qui travaillent, pensa-t-elle, ni avec le courrier du cœur des magazines féminins. Ce n'est pas un banal amour d'enfance. C'est solide et vrai. C'est essentiel. Le temps n'y changera rien, et je n'aimerai jamais personne d'autre.

Judith se détourna pour lui sourire, et Lucy lui rendit son sourire. D'une taille supérieure à la moyenne, sa tante était d'une extrême minceur.

12

Élégante et belle, elle étincelait comme du cristal poli.

Secrétaire de direction dans un hôtel de luxe en dehors de la ville, elle s'occupait surtout des contacts avec la clientèle.

«C'est le genre de travail pour lequel je suis douée, expliquait-elle. S'occuper des gens est plus important que de taper un million de mots à la minute. Si je pouvais taper aussi vite, je travaillerais pour les Nations-Unies. D'ailleurs j'ai essayé, mais cela ne m'a pas plu. Alors je suis revenue ici.»

Les yeux de Judith se voilaient alors imperceptiblement, et elle se taisait ou changeait de sujet. Lucy ne lui avait jamais demandé pourquoi elle n'avait pas aimé ses précédents emplois, et pas davantage pourquoi elle ne s'était jamais mariée et paraissait si satisfaite de partager son temps entre le *Cygne* et son petit pavillon aux poutres apparentes avec vue sur la mer.

«Alors? sourit Judith, et un éclair de malice brilla dans ses yeux. Quel effet cela fait d'être vieille?

— Je ne me sens pas vraiment différente d'hier soir. Même si je n'ai plus que quarante-quatre ans avant la carte Vermeil ou la pension de retraite. Comment as-tu pu te libérer pour cet après-midi?

— J'ai téléphoné à l'hôtel pour prévenir que j'avais attrapé un virus mystérieux, et qu'en venant travailler je risquerais de déclencher une épidémie parmi les fabricants de biscuits qui

13

tiennent leur conférence au troisième étage...
Cette perspective n'a pas paru leur sourire et ils
m'ont dit de rester chez moi jusqu'à lundi.»

Elle rejeta la tête en arrière, et éclata de rire.

«Quel bonheur incroyable que d'avoir un
week-end entier pour moi toute seule! Je vais
pouvoir faire mon grand nettoyage de printemps
et tondre ma pelouse. Bulle va se demander ce
qui lui arrive.

— Comment va-t-elle?»

Tony prit leurs verres pour les remplir.

«Toujours aussi adorablement stupide dans sa
masse de poils. Je l'ai laissée en train de gour-
mander comme une vieille folle un inoffen-
sif merle perché sur les rosiers. Je suppose que
la raison lui viendra avec l'âge mais, pour le
moment, je désespère.»

Lucy regardait Tony traverser la pièce en
direction du bar dressé par son père, près de la
porte-fenêtre. Il pleuvait encore et, par la vitre,
les reflets gris et verts du jardin donnaient
l'impression étrange d'un univers liquide.

Un an auparavant, Lucy et Tony avaient offert
un chaton à Judith pour son trente-cinquième
anniversaire : Bulle aux grands yeux, une boule
de poils miauleuse et soyeuse. La seule idée d'un
chat dans son appartement impeccable avait
d'abord épouvanté Judith, mais Bulle s'était peu
à peu immiscée dans sa vie, et Judith s'était quasiment transformée en mère célibataire.

Chaque fois que sa tante s'absentait pour son
travail, Lucy occupait la chambre d'amis. Ainsi,

14

Bulle échappait à la pension pour chats et ne se sentait pas abandonnée. Quand, à plusieurs reprises, Lucy, malade ou en période d'examens, n'avait pu venir la garder, Tony l'avait remplacée. Ils s'estimaient tous les deux responsables du petit animal et de sa maîtresse.

La voix calme de Judith interrompit les pensées de Lucy.

«Es-tu satisfaite de ta soirée, ma chérie? J'ai été plutôt étonnée quand ta mère m'a annoncé la nouvelle. Je croyais que Tony et toi aviez projeté de sortir seuls ce soir-là?

— C'est vrai, mais mes parents tenaient tellement à cette réception que je ne pouvais vraiment pas refuser, n'est-ce pas? Tony et moi sortirons une autre fois. Ce n'est pas important. Enfin, pas vraiment.»

Non, ce n'est pas vraiment important, se répéta-t-elle essayant de se convaincre. Comme avait dit Tony, il y aurait d'autres occasions. Beaucoup d'autres. N'avaient-ils pas toute la vie devant eux? Qu'est-ce qu'un anniversaire? Surtout qu'il serait à la réception, de toute façon.

«Lucy?»

Elle se tourna juste à temps pour voir sa mère se frayer un passage parmi les invités. Son sourire était inquiet.

«Viens, chérie. Tu ne vas pas rester collée à Judith toute la soirée! Vous trouverez bien d'autres moments pour discuter. Papa dit qu'il est temps de découper le gâteau.»

L'espace d'une seconde, une véritable panique

15

s'empara d'elle : personne n'avait fait allusion à un gâteau et personne, elle en était certaine, n'avait parlé de le découper.

«Vas-y!»

Judith la poussait amicalement.

«C'est un grand jour pour toi.»

Puis elle ajouta, à voix basse :

«Fais vite ce qu'on te demande. Après, tu pourras respirer.

— Il faut vraiment que j'y aille?»

Lucy se sentit toute petite, gauche, pleine d'appréhension et affreusement consciente de la présence d'un méchant bouton rouge qu'elle venait de se découvrir sur l'aile du nez.

«Bien sûr qu'il faut!»

La voix de Judith était calme et amusée.

«Personne ne va te manger ou se moquer de toi, si c'est ce que tu crains. Ils sont avec toi. C'est ton anniversaire, et tout ce qu'ils veulent, c'est te faire plaisir, chanter *Bon anniversaire* et pousser des hourras quand tu souffleras les bougies.»

Tout à coup, Tony fut à son côté, sa main chaude et rassurante emprisonnant fermement la sienne.

«Viens, chérie, on t'a préparé une surprise : ne prends pas cet air de condamnée à mort, les gens vont s'imaginer qu'on t'a battue!»

Sur le gâteau rose, en forme de cœur, était écrit en lettres rouges, entourées de minuscules cœurs de sucre glace, *Bon anniversaire, Lucy*. Un minuscule bouquet de roses ponctuait le message et dans leur bobèche, les bougies — elles aussi rouges et roses — brûlaient d'une petite flamme vacillante. Lucy contempla fixement le gâteau puis le couteau que Tony avait gentiment glissé dans sa main tremblante. Brusquement, un flot de larmes menaça de tout brouiller et de glisser traîtreusement sur le bouton de son nez.

Elle entendit la voix de son père :

«Mes amis, levez vos verres.»

Le calme revint dans la pièce. Même le bruit lointain des voitures qui roulaient sur le périphérique parut s'atténuer et disparaître. Un rayon de lumière, aussi large qu'un sentier, se faufila par les fenêtres ouvertes puis une voix — celle de Tony, devina-t-elle — entonna tout doucement.

«Bon anniversaire, nos vœux les plus sincères...»

D'autres voix se joignirent en hésitant à la sienne puis Lucy ne vit autour d'elle que les visages rieurs de ceux qui la regardaient en chantant et la félicitaient affectueusement.

Elle battit des paupières, prit une profonde inspiration puis ferma les yeux et souffla les bougies en souhaitant... elle ne savait quoi. La seule chose qu'elle pouvait voir à l'ombre de ses cils, c'étaient ce rai de lumière et le visage souriant de Tony.

Brusquement, des rires fusèrent et elle crut que tous ses amis l'embrassaient en même temps.

2

*L*ongtemps, bien long-
temps après le départ des invités — y compris
celui de Tony —, une fois la vaisselle rangée et
la moquette aspirée, Lucy sortit faire quelques
pas dans le jardin, où tout était calme et harmo-
nieux.

La brume qui montait lentement du port flot-
tait au-dessus des rosiers, les effleurait nonchalamment et s'épaississait sur l'herbe rase.

Lucy s'assit sur le banc de teck construit par
son père près du barbecue. Elle s'étira, contemplant la pénombre.

Un sentiment indéfinissable s'était emparé
d'elle. Quelque chose comme une vague décep-
tion...

Était-elle triste? Pas vraiment. Était-elle heureuse? Certes non. Elle se sentait coupée du
monde, indifférente à tout.

Elle savait que, dans le salon, ses parents, les

pieds sur des coussins, regardaient la télévision, un verre à portée de la main. Ils lui avaient demandé si elle avait besoin ou si elle avait envie de quelque chose, mais elle avait dit non en souriant : comme elle se sentait un peu grise, elle allait faire quelques pas dans le jardin. Ils l'avaient dévisagée d'un air entendu, attribuant son attitude au départ de Tony qui, devant ne prendre son travail très tôt le lendemain au magasin (il était le plus jeune assistant que le directeur de *Faites-le vous-même* ait jamais eu), s'était retiré de bonne heure.

«Demain, c'est l'inventaire, mon amour, avait-il expliqué en la serrant étroitement pour l'embrasser. Je regrette mais je ne peux pas y échapper. Je veux que tout soit terminé avant le prochain week-end pour que nous puissions le passer ensemble. M. Williams m'a promis qu'il me le donnerait si je venais tôt demain, et si je partais tard. J'ai pensé que nous pourrions nous échapper pendant ces deux jours. Pourquoi pas un pique-nique? Je te téléphonerai demain de toute façon. Tu seras chez toi, n'est-ce pas? Tu as intérêt à y être, d'ailleurs, plaisanta-t-il sur un ton faussement sévère, sinon je te demanderai des explications!

— Je serai là», chuchota-t-elle.

Elle se pencha pour chasser une fourmi téméraire qui s'égarait sur sa cheville nue.

«Où pourrais-je bien être? Je suis toujours là.»

La fourmi, furieuse de voir son exploration

19

interrompue, piqua Lucy qui poussa un cri et, tout en se frottant la cheville, sauta sur ses pieds. Selon son père, il y avait des fourmis rouges près du barbecue. Il avait dit qu'il vaporiserait de l'insecticide dans ce coin-là s'il faisait assez chaud pour recevoir leurs invités au jardin. Il avait dû oublier, ou bien alors une rescapée déversait sa rage sur tout ce qui croisait son chemin.

La mélancolie qui étreignait Lucy se dissipa brusquement, comme une brume au matin. Rejetant la tête en arrière, elle se mit à rire, le visage tourné vers le ciel.

« J'ai seize ans. »

Elle esquissa maladroitement un pas de danse compliqué.

« Je suis une femme et j'aime le type le plus fantastique de tout l'univers. »

Elle caressa sa chaîne et ses doigts se refermèrent sur elle comme sur un talisman.

« J'ai les parents les plus épatants et la tante la plus séduisante qu'on puisse imaginer... Quand j'aurai vingt ans, j'épouserai Tony et nous vivrons dans une de ces nouvelles maisons qui se construisent tout à côté de chez Judith. Comme ça, je pourrai veiller sur Bulle... »

Elle fit tournoyer ses bras.

« J'ai une chance extraordinaire, je suis la fille la plus heureuse du monde... »

Elle entra en trombe par la porte-fenêtre. Son père rit sous cape et sa mère leva les yeux du *Radio Times* en souriant.

« Heureusement que nous sommes samedi et que vous êtes en vacances, jeune demoiselle. Il est tard. Vous devriez être au lit depuis des heures. »

Le sourire était chaleureux et la critique indulgente.

« Je sais, mais j'ai seize ans aujourd'hui. »

Plantée au centre de la pièce, elle les observa tous les deux. Elle les aimait comme elle n'aurait jamais cru possible d'aimer quiconque. Même Tony. A cet amour se mêlait pourtant une tristesse poignante. Ils avaient l'air si tranquilles, si confiants. Ils savaient qui ils étaient et pourquoi ils vivaient. Elle, elle n'en savait rien du tout. Du moins pas encore.

Elle avala difficilement sa salive, puis tenta de redonner de l'entrain à sa voix.

« Je désirais seulement vous remercier pour tout. »

Assise sur le bras de son fauteuil, elle embrassa son père sur le sommet du crâne, là où il commençait à perdre ses cheveux.

« Pour les cadeaux, la réception et pour le gâteau... »

Elle hésita, soudain inquiète.

« Je n'ai pas été trop ridicule, n'est-ce pas ? Je veux dire, quand vous m'avez tous demandé de faire un discours ?

— Bien sûr que non. »

La main chaude de son père se posa sur la sienne et la pressa. Il se tourna vers elle en lui souriant sous sa moustache.

«A mon avis, tu as répondu avec beaucoup d'élégance. Qu'en penses-tu, Netta?»

Il interrogea son épouse du regard.

«Elle s'en est tirée très joliment, n'est-ce pas?... "Je ne me doutais pas que vous m'aimiez autant et je tiens à vous en remercier de tout cœur..." Je n'aurais pu trouver mieux moi-même.»

Il pencha la tête en direction de sa fille, une lueur grave traversa son regard.

«Je suis tout à fait sincère, tu sais.

— Merci, papa.»

Cela faisait bien trois ans qu'elle ne l'avait pas appelé papa, ni en public ni en privé, mais à présent qu'elle commençait à prendre un peu d'assurance, l'usage de ce mot lui redevenait facile. Et lui s'émerveillait d'avoir pour fille cette jeune personne, hier adolescente, aujourd'hui femme en herbe avec un bouton sur le nez.

«Quant à toi, maman, merci pour tout. Pour tout ce que tu as fait pour moi ce soir. C'était merveilleux!»

Elle sauta du fauteuil, rejoignit sa mère et, lui passant les bras autour du cou, l'embrassa sur la joue.

Netta se sentit tout à coup intimidée et confuse. Elle tapota la main de sa fille.

«Nous sommes tous les deux très heureux que cela t'ait plu. Mais maintenant, tu ne crois pas qu'il est temps d'aller te coucher? Il est tard, tu sais.

— Oui, j'y vais.»

Les yeux fixés sur une tache que le glaçage du gâteau avait laissée sur la moquette fauve, Lucy murmura :

«Je me sens différente, intérieurement.»

Elle haussa maladroitement une épaule.

«Je ne peux pas vraiment expliquer. Pas clairement, du moins. Je ne sais pas en quoi j'ai changé. C'est un peu comme si j'attendais qu'une porte s'ouvre», continua-t-elle, cherchant ses mots.

Son père ramassa le boîtier de télécommande, coupa le son du poste et concentra toute son attention sur la jeune fille.

«Vous souvenez-vous du moment où j'ai soufflé les bougies?»

Son regard passa de l'un à l'autre et ils hochèrent lentement la tête.

«Un rayon de soleil est alors entré dans la pièce, un large sentier de lumière, aussi lisse que la pelouse quand tu viens de la tondre, papa...»

Jeffrey Atkinson haussa les sourcils. Il consacrait beaucoup de temps à cette pelouse, mais jamais il n'aurait cru que quelqu'un le remarquerait.

«Et alors? demanda-t-il avec douceur.

— Eh bien, juste à ce moment-là, j'ai fait un vœu.»

Lucy rougit et Netta se demanda tout à coup si sa fille n'avait pas un peu trop bu.

«Seulement je n'ai pas su quoi demander. Je n'ai pas pu formuler mon vœu. Je n'ai pu qu'y

23

penser vaguement en imaginant des choses...
C'est trop bête, non?

— Non, pas du tout, répondit Netta lentement
en laissant glisser le *Radio Times* sur le sol. Cela
arrive à tout le monde et cela se produit lorsqu'on veut exprimer trop de désirs en une seule
pensée, n'est-ce pas, Jeff?

— Certainement.»

Jeff prit la main de Lucy.

«Le seul vœu qui soit vraiment important,
que ce soit pour ton anniversaire ou pour une
autre occasion, c'est celui que tu fais en toi-même.»

Il pesa soigneusement ses mots.

«Pourquoi ne vas-tu pas y réfléchir dans ton
lit? Ta mère et moi allons bientôt nous coucher. D'accord?

— D'accord.»

Elle se leva brusquement, avec une grâce nouvelle, souveraine.

Elle les embrassa rapidement et monta l'escalier quatre à quatre. Aucun d'eux n'avait dit ce
qu'elle aurait voulu entendre. Elle ne pouvait pas
s'expliquer comment mais, soudain, elle se sentait loin d'eux.

Elle contempla sa chambre avec tous les
cadeaux empilés sur le lit dans un joyeux désordre. Sa mère avait disposé tout autour de la pièce
ses cartes d'anniversaire.

Lucy effleura du doigt sa chaîne d'or et sourit.

Quelque chose avait changé, et pourtant tout
était pareil.

3

*L*e dimanche suivant commença comme une de ces douces et lumineuses journées d'automne dont le froid vif a quelque chose d'un peu irréel. Les bras derrière la tête, Lucy regardait le soleil jouer dans les rideaux à fleurs. Pendant la nuit, un coup de vent avait fait s'envoler plusieurs cartes d'anniversaire, qui avaient atterri pêle-mêle au sommet de sa bibliothèque.

Lucy rejeta sa couette, s'étira puis se pencha pour se frotter la cheville, à l'endroit où la fourmi l'avait piquée. Un méchant bouton rouge marquait sa peau aussi blanche que les liserons du jardin de Judith.

Personne d'autre n'était levé. Quand Lucy avait eu douze ans, ses parents avaient décrété que désormais, le dimanche matin, chacun serait libre de faire ce qu'il voudrait. Papa, lui, avait coutume de descendre tout ensommeillé et de préparer le thé en robe de chambre. Puis, il posait la théière sur un plateau, avec les journaux, et toujours aussi endormi, remontait à l'étage. Il réveillait ensuite gentiment sa femme en lui offrant une tasse de thé et le supplément dominical en couleurs.

Tout en souriant, Lucy enfila une paire de jeans et un chandail.

Les habitudes de ses parents étaient immuables. Il faudrait une guerre ou une épidémie pour changer ça, et encore... Lucy soupçonnait que même la peste noire prendrait la fuite devant la détermination combattive de sa mère, armée de son flacon de Dettol et galvanisée par sa passion pour les nouvelles cires.

Elle replia soigneusement la couette de façon à aérer le drap de dessous, tira les rideaux et se pencha au-dehors en clignant des yeux dans le soleil.

A sa gauche, un banc de brume pâle trahissait, plus qu'il ne révélait, la présence de l'île et de ses plages. Pour une raison qu'elle ne pouvait expliquer, même à Tony, cette île la fascinait.

Touristes et estivants allaient bientôt partir. La plupart des villas et des boutiques en plein air fermaient déjà. Tony et elle l'avaient remarqué lors de leur dernière promenade, le week-end précédent.

« C'est vraiment affreux quand on y songe. Regarde. »

Tony l'avait serrée contre lui en riant.

« On dirait un gigantesque parc d'attractions

que personne n'a songé à balayer depuis des mois. Pourquoi les gens jettent-ils n'importe où leurs papiers gras et leurs cornets de frites? C'est dégoûtant, tu ne trouves pas?»

Cramponnée à son bras, Lucy, qui marchait béatement parmi les détritus, avait acquiescé. Tout allait disparaître avec les estivants, et l'île retomberait dans la solitude.

«Au fait, je me demande pourquoi on appelle ça une île», s'interrogea-t-elle tout haut en se penchant par la fenêtre. Elle faillit renverser le pot de balsamine que Tony lui avait offert. (Pour d'obscures raisons, le magasin où il travaillait offrait une plante pour tout achat d'un montant supérieur à cinq livres.)

«Ce n'est pas vraiment une île. C'est une langue de terre reliée à la côte par une route et deux ponts.»

Perplexe, elle redressa la plante, puis s'habilla à la hâte et descendit tranquillement. Elle ramassa les journaux qui étaient encore sur le paillasson et les déposa à côté du plateau préparé. Une nervosité inhabituelle, inexplicable, s'était emparée d'elle.

Elle aurait voulu faire quelque chose, mais elle ne savait quoi.

Aller quelque part, mais elle ne savait où. Les idées surgissaient en foule dans sa tête puis s'évanouissaient sans laisser aucune trace. Cela lui rappelait l'été de ses huit ans, durant les grandes vacances. Au bout de deux ou trois semaines, elle avait déjà fait tout ce qu'elle s'était promis de faire et les jours étaient devenus tout à coup interminables et mornes.

Elle brancha la bouilloire, mit une cuillerée de café dans son bol et, ouvrant la porte vitrée, sortit dans le jardin d'un pas nonchalant.

Partout les araignées d'automne avaient commencé à tisser leurs toiles scintillantes. L'une d'elles s'accrocha à son visage et, plissant le nez, elle la chassa de la main.

M. Williams, qui s'affairait dans la serre, en haut du jardin, la salua d'un geste amical auquel elle répondit. Aboyant à grand bruit, le berger allemand des voisins se précipita le long de la clôture pour lui défendre d'empiéter sur son territoire.

« Tais-toi, Caspar », dit-elle en riant.

Reconnaissant sa voix, Caspar poussa un petit gémissement et se tut. Ses griffes raclèrent le sol bétonné de l'allée lorsqu'il trotta jusqu'à la grille d'entrée pour observer le monde à travers ses barreaux.

Énorme et noir, Caspar terrorisait la mère de Lucy. Il semblait assez féroce pour protéger toute la ville, sans parler du voisinage immédiat, mais Netta était de ces femmes qui n'aimaient pas les chiens. Ils semaient des poils sous les meubles, attrapaient des puces et laissaient des empreintes boueuses dans les endroits les plus inattendus.

Lucy haussa les épaules avec philosophie. Elle ne partageait pas les réactions de sa mère, et en général les chiens lui étaient indifférents. Mais elle avait un faible pour Caspar, justement parce qu'il était fort et arrogant.

Elle fut tirée de ses pensées par le sifflement de la bouilloire et se précipita pour l'éteindre.

«Et si j'allais voir Judith?» songea-t-elle en sirotant son café à petites gorgées.

Mais non, au fond, ça ne lui disait rien.

«Pourquoi ne pas appeler Tony au magasin? Il me dira à quelle heure il finit ce matin et nous pourrons peut-être déjeuner ensemble... A moins que je ne rende visite à Helen?»

Lucy repoussa sa tasse avec impatience. Elle secoua la tête.

«Je pourrais aussi rester ici et attendre que les parents se lèvent. Ensuite, comme d'habitude, descente générale au *Green Man* où je retrouverai, bien entendu, tous les voisins que je n'ai pas vus depuis hier soir...»

C'était le rituel du dimanche. En rentrant du «pub», et si personne n'avait d'autres projets, on se disputerait gentiment pour décider ce qu'on regarderait à la télé : un film ou un match? Pendant la discussion, on entendrait le rôti grésiller dans le four électrique et la journée s'étirerait comme cela jusqu'au soir.

Lucy prit brutalement conscience qu'elle en avait assez de cette monotonie.

Elle voulait comprendre les sensations troublantes qui l'avaient assaillie la veille et qu'elle ne pouvait oublier. Comment pouvait-elle se sentir aussi changée, aussi totalement différente, en un seul jour? C'était incroyable et pourtant, bien que rien ne soit véritablement arrivé, elle se sentait transformée et elle voulait savoir pourquoi.

Rejetant la tête en arrière, elle lança un coup d'œil à la pendule accrochée au-dessus de l'évier. Il était seulement dix heures. Tony n'avait pas encore commencé l'inventaire et Helen n'était certainement pas encore levée. Quant à Judith, Lucy avait scrupule à troubler son intimité d'aussi bonne heure.

«Ça y est. J'ai trouvé!»

Elle sauta sur ses pieds.

«C'est tout simple : je n'ai qu'à faire une balade.»

Rien d'extraordinaire à cela. Elle s'était déjà promenée des milliers de fois, car, contrairement à bon nombre de ses amis, elle appréciait la solitude. Ce matin-là pourtant, un sentiment d'irritation, une morosité presque hargneuse, augmentait sa nervosité. Le beau temps s'en trouvait tout assombri. Elle décida d'y remédier sur-le-champ.

Elle griffonna quelques mots sur le bloc du téléphone, puis sortit en courant presque, en prenant soin, toutefois, de fermer la porte à clé.

«Où allez-vous donc?»

M. Williams avait abandonné la serre pour une allée où il s'occupait des asters.

«Rejoindre Tony? C'est un peu tôt pour un rendez-vous, non?

— Tony travaille, répondit-elle avec une petite moue. Je vais faire un tour. Les parents ne

30

sont pas encore levés», ajouta-t-elle comme si cela expliquait tout.

M. Williams hocha lentement la tête, puis scruta le ciel.

«Il va bientôt pleuvoir.»

Il rejeta de côté sa casquette de jardinier et se gratta la tête.

«De toute façon, la terre a besoin d'eau. Je ne l'avais jamais vue aussi dure à cette époque de l'année.

— Ah bon?»

Lucy sourit, réprimant son impatience. Écouter un rapport météorologico-écologique l'ennuyait au plus haut point. Il avait plu hier, il pleuvrait sans doute demain, qui s'en souciait? Pour l'heure, le soleil brillait.

«Il faut que j'y aille.»

Elle se dandina d'un pied sur l'autre en espérant que le vieil homme ne se rendrait pas compte qu'elle lui montrait les dents, comme Caspar.

«Bien sûr. Prenez soin de vous, et ne faites pas d'imprudences, hein?»

Le dialogue se terminait toujours de la même façon. Lucy donna la réplique habituelle.

«C'est juré, monsieur Williams! Ne vous tourmentez pas.»

D'un geste impertinent, elle lui envoya un baiser et descendit l'allée en courant. Elle savait qu'il la suivait des yeux, en souriant, hochant la tête avec indulgence.

M. Williams avait été le premier admirateur

de l'adolescente. Elle lui rappelait, disait-il à la ronde, sa petite-fille canadienne qu'il n'avait vue que deux fois — mais qu'il espérait revoir à Noël parce que Mme Williams et lui avaient mis assez d'argent de côté pour s'offrir le voyage.

Quand il recevait de nouvelles photos de Joanna Williams, il les montrait fièrement et Lucy n'avait jamais, au grand jamais, trouvé la moindre ressemblance entre elles deux.

Joanna paraissait grande, mince et grave. Lucy se savait de taille moyenne et incapable d'être vraiment grave.

Au bout de la rue voisine, elle ralentit le pas et hésita sur la direction à prendre. A gauche ou à droite? Vers l'île et la mer ou vers le nouveau lotissement où Tony et elle avaient déjà choisi le terrain de leur future maison?

Elle opta pour la gauche et la mer. Elle aurait ainsi moins de chance d'y rencontrer des amis. Pour une raison mystérieuse, cela lui parut capital.

Elle s'apprêtait à traverser le deuxième pont lorsque la prophétie de M. Williams se réalisa et qu'il se mit à pleuvoir à verse. La pluie rebondissait sur les marches grises, jonchées d'algues, noyant leurs contours et les confondant bientôt dans un flot noirâtre.

«J'en ai marre. Marre...»

Les cheveux plaqués en arrière, le chandail trempé, dégoulinant sur sa poitrine, Lucy s'aperçut qu'en plus l'une de ses chaussures était trouée : l'eau gargouillait à chaque pas sous son pied nu.

Frissonnante, elle descendit au pas de course les marches latérales et se précipita vers un abri délabré au bord de la plage.

Elle s'effondra presque sur le banc couvert de graffiti. Au loin, sur la mer, le vent se déchaînait en rafales. Lucy huma l'odeur de poussière humide qu'il laissait dans son sillage. Les nuages, lourds de pluie, se dissipaient déjà.

«Encore quelques minutes et il va y avoir un arc-en-ciel...»

La voix était grave, un peu moqueuse. Manifestement, ce n'était pas quelqu'un du pays.

«Profitez-en pour faire un vœu. Par exemple, celui de ne pas attraper de pneumonie. Si mon veston était sec, je vous le prêterais volontiers, malheureusement... Voilà tout ce que je peux vous offrir.»

Un chiffon humide, mais propre, surgit sous le nez de Lucy qui, médusée, leva lentement les yeux vers son propriétaire. Leurs regards se croisèrent. Celui de l'homme était rieur, et incroyablement chaleureux.

4

*L*ucy rougit. Qu'elle était donc ridicule! La guenille s'agitait entre eux comme le drapeau du parlementaire dans les westerns.

«Elle est un peu détrempée, s'excusa de nouveau son propriétaire, mais au moins, elle vous empêchera de ruisseler... Je m'en suis servi comme écharpe et, autant que je sache, je n'ai aucune maladie contagieuse... Tenez. Prenez-la.»

Il posa le chiffon à côté d'elle sur le banc puis reporta son attention sur la mer comme s'il devinait l'embarras de la jeune fille. Qu'est-ce que cela peut être? D'où vient-il donc?

Ce n'était pas le genre de type que la saison touristique attirait sur la plage. Surtout à la fin de l'été, un dimanche matin, sous une averse. L'hiver, à la rigueur, il y a bien quelques fanatiques qui courent après les algues ou les bouts de bois que la marée amène sur la plage.

«Voilà l'arc-en-ciel!»

Il se retourna nonchalamment et lui sourit :

«J'ai gagné mon pari. On dirait qu'il se termine au-dessus du Lego. Je me demande à quelle maison il va apporter la chance...

— Du Lego?!»

Elle suivit la direction de son regard.

«Oh, vous voulez parler du lotissement à côté de l'hôtel?

— Oui.»

Il haussa les épaules.

«Enfin! si vous appelez lotissement tous ces pavillons minables, c'est bien de lui que je parle...»

Se moquait-il d'elle? Dans l'expectative, elle prit délicatement le chiffon et se mit à éponger son jeans.

«Une pneumonie ne s'attrape pas par les genoux, vous savez, remarqua-t-il sur le ton de la conversation. Généralement, on l'attrape par la tête ou par la poitrine, et les vôtres semblent complètement trempées. Pourquoi ne pas vous essuyer les cheveux? Vous auriez moins froid et vous vous sentiriez mieux.

— Ce n'est pas grave, merci.»

Elle remit le chiffon sur le banc et s'appliqua à faire gargouiller l'eau dans sa chaussure. L'effet obtenu était répugnant à souhait.

«Je sais que les premières impressions sont souvent trompeuses, mais vous n'êtes manifestement pas celle que je croyais...

— Ah bon?»

Lucy s'empourpra de nouveau. Si seulement elle avait le courage de se lever et de partir... mais comment s'éloigner de cet étranger toujours assis sur le banc à côté d'elle ? Cela lui paraissait impossible. Elle avait l'impression que quelque chose en elle prenait des proportions gigantesques. Elle avait chaud. Elle se sentait gauche, inquiète, et quand elle regarda ses mains, ce fut avec la crainte de découvrir ses doigts aussi enflés que des boudins.

« J'ai cru que vous étiez une jeune fille, murmura la voix avec un petit rire étouffé, mais je me suis trompé. Vous devez être une sirène. Comme celle de ce film qui est sorti l'an dernier : sa queue poussait dès qu'elle plongeait dans l'eau. C'est la première fois que je rencontre une sirène, continua-t-il d'un ton pensif. Permettez-moi de me présenter. »

Il se leva avec aisance et s'inclina solennellement devant elle.

« Tom Reynolds. Je n'ai malheureusement aucun lien de parenté avec Burt. Enchanté de vous connaître.

— Moi de même », balbutia-t-elle.

Elle fuyait son regard.

« Les sirènes n'ont-elles pas de prénom ? Je pensais qu'elles s'appelaient toutes Miranda ou quelque chose d'approchant...

— Je ne sais pas. »

Massée au fond de sa gorge, la panique étouffait Lucy. Ce type n'était ni un touriste ni un estivant, mais un fou furieux, c'était évident.

Durant l'été, les gens s'étaient plaints du comportement des marginaux qui s'étaient glissés parmi les campeurs de la plage et voilà que le hasard la mettait en présence d'un de ces cinglés. Tout cela parce qu'elle avait tourné à gauche et non à droite...

«Vous ne connaissez pas votre prénom ou bien vous ignorez que les sirènes s'appellent Miranda?»

Il la taquinait gentiment, et elle devinait son rire, totalement dépourvu de méchanceté et aussi chaleureux que le soleil dont la réapparition faisait fumer légèrement le bitume devant leur abri.

C'était le genre de question-piège que les professeurs posaient parfois à l'école quand ils voulaient vous ridiculiser devant toute la classe. Lucy sentit une vague de colère insolite monter en elle.

«Il se trouve que je sais parfaitement comment je m'appelle, merci. Ce que j'ignore, en revanche, c'est si je dois parler à quelqu'un de votre espèce.»

Elle lui jeta un bref coup d'œil et le vit cacher son visage dans ses mains avec une horreur feinte.

«Ne faites pas cela.»

Une rage insensée la submergea.

«Vous êtes complètement idiot : les sirènes n'existent que dans les légendes. En réalité, ce sont des espèces de poissons. Elles n'ont jamais existé.»

Curieusement, elle se surprit à le regretter. Au

fond, elle aurait bien aimé en être une, pour se jeter dans la mer et disparaître au sein des vagues après un dernier coup de queue dans sa direction.

«J'ai compris mon erreur.»

Il se tenait très raide, les bras le long du corps.

«Mais si vous n'êtes pas une sirène, alors vous devez être une fille des eaux. Ne me dites pas que les enfants des eaux n'existent que dans mon imagination surtout. Mes parents m'ont fait lire le livre, il y a des années... Alors, vous en êtes une, n'est-ce pas?

— Une quoi?»

Désemparée, Lucy sentit la tête lui tourner un peu.

«Une fille des eaux, voyons, dit-il patiemment en se rasseyant près d'elle.

— Je ne suis rien de tout cela, gémit-elle. Je suis seulement trempée jusqu'aux os... Maintenant, allez-vous-en et laissez-moi tranquille.

— D'accord.»

Il haussa les épaules.

«L'arc-en-ciel a disparu, de toute façon. J'ai fait un vœu pour vous. J'ai souhaité que vous n'attrapiez pas de pneumonie. Voilà. Mais je reste persuadé que vous avez tort, vous savez.

— Tort de quoi? explosa-t-elle en le voyant debout, prêt à partir.

— De ne pas avoir de prénom et de n'être rien, car, pour moi, vous êtes à coup sûr la plus jolie fille que j'aie vue depuis mon arrivée dans cette ville.»

Elle le suivit du regard. A grands pas nonchalants, il se dirigeait vers le terrain de jeux, à l'autre bout de la plage. Tout à coup, il s'arrêta — comme si une idée de génie venait de lui traverser l'esprit — et il la regarda d'un air désapprobateur.

«Gardez l'écharpe en souvenir de moi. C'est mon premier cadeau, mademoiselle-qui-n'a-pas-de-nom. Maintenant, regagnez vite votre jeu de Lego.»

Figée, Lucy tenta de suivre des yeux la silhouette masculine qui se détachait sur la mer lumineuse. Elle passa la main dans ses cheveux emmêlés. Ils étaient presque secs. Son chandail n'avait plus qu'une légère tache d'humidité sur l'épaule gauche, et si ses pieds étaient encore humides, ses chaussures au moins ne gargouillaient plus.

Le chiffon était toujours sur le banc. Lucy s'en saisit et, d'un geste impulsif, le jeta aussi loin qu'elle put sur les galets de la plage. L'étoffe vola maladroitement quelques secondes avant d'aller se poser sur un rocher couvert d'algues.

Tandis qu'elle se dirigeait vers l'escalier, Lucy entendit un rire. Elle aurait juré que c'était Tom Reynolds.

5

*R*éprimant une violente envie de courir, Lucy parvint à garder une allure digne jusqu'à ce qu'elle ait traversé les deux ponts et qu'elle soit presque hors de vue des insulaires.

« En voilà un casse-pieds ! Pour qui se prend-il, avec ses grands airs ? » fulmina-t-elle en pressant le pas vers le pavillon de Judith et « le Lego ».

Judith, occupée à couper des fleurs, à quatre pattes sur la pelouse, haussa les sourcils avec étonnement lorsque sa nièce poussa bruyamment la grille. Ce genre d'entrée fracassante ne lui ressemblait guère. Elle ne lui avait vu qu'une seule fois un air aussi sombre : bien des années auparavant. Tony, qui lui avait promis de l'emmener faire un tour à bicyclette, avait oublié leur rendez-vous pour une partie de football. Ils avaient, à l'époque, respectivement huit et dix ans.

«Tu es vraiment matinale pour un dimanche, remarqua Judith en s'asseyant sur ses talons. C'est la pluie qui t'a trempée ou bien tu t'es fait une coiffure punk pendant la nuit? Qu'est-ce qui t'arrive?

— Je suis allée me promener sur l'île et j'ai rencontré quelqu'un.»

Lucy s'affala sur l'herbe et se mit à arracher les feuilles d'une touffe de trèfle. Dérangée, une abeille s'envola en bourdonnant de frayeur. Bulle sortit furtivement des pieds-d'alouette et se lança à sa poursuite.

«Quelqu'un? Un de tes amis ou un inconnu?»

Judith rangea soigneusement ses sécateurs dans un coffre de bois dissimulé par les dahlias et les reines-marguerites.

«Oh, pour l'amour du ciel, Judith, jeta Lucy, tu ne vas pas t'y mettre, toi aussi. J'ai eu mon compte pour ce matin.

— Toutes mes excuses.»

D'une chiquenaude, Judith chassa un perce-oreille de ses dahlias et se remit péniblement sur ses pieds.

«J'ai posé une question tout à fait naturelle. Ce n'est pas parce que tu as maintenant un âge vénérable que tu dois me sauter à la gorge.

— Tu as raison. Je suis désolée.»

Sur le visage de Lucy, le repentir se mêlait à la révolte, deux expressions que Judith ne lui avait encore jamais vues.

«C'est seulement que...»

41

Lucy se leva et suivit sa tante à l'intérieur du pavillon.

«Ce type m'a exaspérée et je ne sais pas pourquoi.

— Au risque de me faire encore rabrouer, dit Judith en ouvrant calmement le réfrigérateur, j'aimerais poser une autre question : tu connais ce type ou bien il a seulement essayé de te draguer?»

Elle saisit une bouteille de vin blanc déjà entamée, emplit deux verres, puis alla s'installer avec le sien dans le fauteuil d'osier près de la fenêtre.

«Je ne crois pas qu'il essayait de me draguer.»

Lucy prit son verre et, après avoir bu une gorgée de vin, le reposa avec une grimace.

«Cela ne t'ennuie pas si je me sers plutôt un jus d'orange? Je n'apprécie pas vraiment le vin blanc à cette heure de la matinée.

— Pas du tout. Fais comme tu veux.»

Judith plissa le front. La nervosité de la jeune fille était visible. Elle vibrait d'énergie contenue.

«Tu sais où se trouvent les jus de fruits?

— Oui.»

Elle ouvrit le réfrigérateur, sortit la boîte de carton et versa le jus d'orange dans un verre propre. Puis elle remit méticuleusement le vin blanc dans la bouteille, la boucha et posa le verre sale sur l'évier. Elle semblait avoir en permanence besoin de bouger, d'occuper ses mains pour exprimer aisément ses pensées.

«Judith?»

Elle se retourna brusquement vers sa tante et la regarda en face.

«Ce type que j'ai rencontré...» — Sa tante fit un signe d'encouragement — «Il m'a dit que j'étais une sirène... Je ruisselais de pluie... Il m'a dit aussi que j'étais la plus jolie fille qu'il ait vue depuis son arrivée en ville.»

Judith eut un rire incrédule.

«Et tu dis qu'il ne te draguait pas?

— Non. A la fin, je me suis mise en colère et il est parti.»

Lucy s'assit tout à coup sur l'une des chaises de la salle à manger.

«Je ne comprends pas pourquoi je me suis mise dans un tel état. Je crachais le feu. Je ne désirais qu'une chose : me promener tranquillement dans l'île en rêvant et voilà qu'il a commencé à pleuvoir... Je me suis précipitée vers le premier abri venu et il était là.»

Les mots se bousculaient dans sa bouche.

«Comment est-il?

— Grand. Bohème. Très sympathique. Avec un regard chaleureux et un rire franc.»

Elle hésita.

«Il m'a dit qu'il allait y avoir un arc-en-ciel, et l'arc-en-ciel est apparu. Il s'étendait à travers toute la baie jusqu'au lotissement. Autre chose : il a dit que le lotissement est un jeu de Lego.»

Elle regarda froidement sa tante.

«Il y a un peu de ça, non?

— Un peu», approuva Judith en se demandant ce qu'elle devait dire et comment.

Elle sentait naître en elle une sensation qui ressemblait à la peur. Hier, malgré ses efforts pour paraître sophistiquée, Lucy n'était qu'une enfant. Aujourd'hui, devinait Judith, l'enfant venait d'ouvrir les yeux sur le monde et ses zones d'ombre. Elle devenait adulte.

« Mais ça n'a pas vraiment d'importance, n'est-ce pas ? Tony et moi, nous y achèterons notre première maison parce que nous pourrons obtenir ainsi toutes sortes d'aides. Tony m'a expliqué que le crédit serait plus avantageux pour nous... et puis, ce n'est pas un endroit désagréable. Qu'en penses-tu ? D'après ce que j'ai pu voir, la plupart des gens installés là ont l'air heureux. »

Le front plissé et l'air soucieux, elle tentait de comprendre les réactions d'un étranger devant la ville.

« Évidemment, dit Judith, ceux qui vivent là parce qu'ils ont choisi d'y vivre ne peuvent qu'être heureux. C'est un site agréable avec beaucoup d'espace, de l'air pur, des jardins et des arbres. » Grand Dieu ! pensa-t-elle, je parle comme un agent immobilier qui essaie de vendre sa camelote.

« ... Mais imagine que tu cherches autre chose ou que tu viennes d'ailleurs — d'un endroit bien moins moderne, moins neuf et moins propre —, tu auras peut-être aussi l'impression de débarquer dans un Lego ! »

Elle but une gorgée de vin et croisa mentalement ses doigts. Pourvu qu'elle ait dit ce qu'il fallait dire.

«Oui, bien sûr.»

Lucy fit un signe d'assentiment et la regarda comme si elle la voyait pour la première fois.

«Mais toi, quand tu es revenue, ce n'est pas là que tu as voulu t'installer... Pourquoi? Je me souviens que mes parents l'auraient voulu.

— Bof! c'était un peu différent. Après tout, expliqua Judith avec un petit rire, je travaillais toute la semaine dans un environnement moderne, clair et neuf. J'avais besoin d'autre chose pour me détendre.

— Pourquoi es-tu revenue au pays, Judith?»

La question inévitable — celle à laquelle elle n'avait jamais voulu répondre — claqua dans la pièce comme un défi.

«J'en avais un peu assez de ma vie ailleurs, c'est tout.»

Elle haussa les épaules.

«Comme toi, j'ai passé ici mon enfance et ma jeunesse. Tous les gens que je connaissais vivaient ici. Ta mère, ton père, mes amis.»

Nouveau haussement d'épaules.

«Quand on m'a proposé cet emploi à l'hôtel, j'ai décidé que j'en avais assez de la solitude et que je préférais vivre dans un environnement familier. Je crois en vérité que j'ai voulu retrouver mes racines. J'avais ton âge quand j'ai quitté la région, tu sais...

— Mais pourquoi étais-tu partie?»

L'interrogation jaillit. Judith se surprit à penser que le vin n'était pas assez fort.

«C'est si vieux. Tes parents venaient de se

45

marier. Ils attendaient ta naissance et j'habitais avec eux. Je ne voulais pas leur imposer ma présence, alors je suis partie.

— Tu ne t'es jamais mariée ?»

La question resta en suspens dans le soleil comme un linge douteux étendu par mégarde sur la lessive immaculée.

«Non. Je n'en ai jamais eu envie. Je suis trop égoïste. J'ai mes habitudes et mon rythme de vie. Je détesterais que quelqu'un vienne les bousculer et m'envahir en permanence. Je ne veux pas être responsable de qui que ce soit. Tu te rappelles pour Bulle ? Tous les arguments que je t'ai opposés ? Tu vois ce que je veux dire.

— Je vois.»

Sa tante, visiblement, ne désirait pas poursuivre sur ce sujet.

«Mais nous sommes différentes l'une de l'autre, n'est-ce pas ? Dis-moi que je n'ai pas tort de vouloir épouser Tony quand j'aurai vingt ans.

— Ne dis pas de bêtises, murmura Judith, se levant pour serrer sa nièce contre elle. Tony et toi, vous êtes faits l'un pour l'autre. Vous l'avez toujours été. Vous êtes tous les deux si mûrs pour votre âge, et il t'aime tant. C'est le seul amour de jeunesse dont je puisse imaginer les héros dans soixante ans, quand vous serez vieux, tous les deux.

— Alors, pourquoi ce Tom Reynolds a-t-il pu me troubler autant ?» demanda calmement Lucy en l'étreignant à son tour.

Lâchant la jeune fille, Judith retourna à son

fauteuil et à son verre de vin qu'elle tourna entre ses doigts tout en observant les bulles minuscules qui venaient crever à la surface. Elle inspira profondément.

« Lucy, ce garçon t'a troublée parce qu'il était différent. Ce n'est pas tous les jours qu'on te raconte que tu es une sirène et qu'on t'inonde de compliments. Au fait, ajouta-t-elle, dévisageant sa nièce avec un sourire, c'est la première fois ? Tony ne t'a jamais dit de choses pareilles. Je me trompe ?

— Non, pas du tout, admit Lucy, mais pourquoi m'appellerait-il sa sirène ? Ce n'est pas son genre.

— Parce qu'il ne sait pas ou parce qu'il ne veut pas ? »

Il se fit un silence étrange, presque lourd. Lucy se détourna pour suivre du regard la course de Bulle après un papillon.

« Parce qu'il ne sait pas, probablement. Il est... oh ! tu sais bien comment est Tony. Il n'a rien du romantique larmoyant. Il n'a pas un langage fleuri. Il est... il est comme ça, c'est tout. »

Elle eut un geste fataliste mais Judith, dans le changement de sa voix, sentit une sorte de mélancolie.

« Cela te préoccupe ? »

Elle voulait désespérément atteindre sa nièce. Pour la secouer ou la câliner, elle ne savait trop.

« Non, je ne m'en suis jamais souciée. Tony et moi, on discute. On fait des projets. On rit ensemble, on fait les fous. Quand il me dit qu'il

47

m'aime, je sais qu'il est sincère. Sinon, il ne me le dirait pas. Seulement, avec Tom Reynolds, c'était autre chose.»

Elle chercha ses mots.

«J'avais l'impression qu'il me regardait comme personne ne m'avait jamais regardée auparavant. Et aussi qu'il riait de ce qu'il lisait en moi.»

Elle se leva d'un bond et, dans sa hâte, faillit renverser son verre vide.

«Excuse-moi, dit-elle en essayant de sourire. Tout cela est idiot. Je ne sais pas ce que j'ai aujourd'hui. Ce doit être le temps ou la lune... Je ne voulais pas t'ennuyer, Judith, je t'assure. Je ne voulais pas gâcher ton dimanche.»

Elle jeta un coup d'œil à sa montre, cadeau de ses parents pour son anniversaire.

«D'ailleurs, je ferais mieux de rentrer à la maison, maintenant. Tony m'a promis de me téléphoner du magasin. Quand viendras-tu nous voir?»

Judith se leva aussi. Elle avait l'air un peu inquiète.

«Je ne sais pas encore. Sûrement dans le courant de la semaine. Mais tu sais, Lucy, si tu as besoin de parler, tu peux venir ici quand tu veux...

— Oh, ce ne sera pas nécessaire. Je suis sans doute un peu déprimée après la fête d'hier. Ne te tracasse pas pour moi.»

Mais Judith se tourmentait déjà pour la jeune fille. Tout en la regardant sortir du jardin, sans

même dire au revoir à Bulle — négligence inhabituelle —, elle eut l'impression désagréable qu'il
était en train de se passer quelque chose d'iné-
luctable et d'irréversible.

6

*D*urant sa première semaine de vacances, Lucy se jeta dans un tourbillon d'activités. Elle nettoya sa chambre de fond en comble et se débarrassa de ce qu'elle appelait «tous ces trucs de gosse». Elle repeignit la porte du garage et s'occupa de Bulle lorsque Judith dut faire un bref séjour dans une succursale de l'hôtel. A la grande surprise de Tony, et à la sienne, elle n'approcha ni du lotissement ni de l'île. Elle ne franchit pas une seule fois les bornes de son univers familier comme si, au-delà, un danger inexplicable la menaçait.

Le samedi soir, Tony l'invita au restaurant italien. Il la dévisagea d'un air soucieux. Elle semblait pâle et fatiguée. Ses doigts jouaient constamment avec sa chaîne d'or. Ce n'était plus la Lucy qu'il connaissait. Toute sa pétillante vitalité avait subitement disparu.

«Tu n'es pas malade, chérie?»

Il prit sa main dans la sienne, et s'étonna de la sentir moite et glacée.

« Tu es bien silencieuse...

— Excuse-moi. »

Elle lui fit un piètre sourire.

« Je réfléchissais...

— A quoi ? »

— Oh ! à des tas de choses... J'ai besoin d'un vrai travail. Je ne peux pas passer toute ma vie à ranger des étagères dans un supermarché. Personne ne le pourrait. Et puis... je crois que j'ai besoin de changer d'air. C'est sans doute Judith qui m'a mis cette idée en tête en m'offrant une valise. »

Il leva les sourcils d'un air étonné.

« Où veux-tu aller ?

— N'importe où, répondit-elle en haussant les épaules. On dit souvent que l'air de la mer est bon pour la santé. Pour moi, c'est plutôt l'inverse en ce moment. C'est l'air de la ville, que j'ai envie de respirer. »

Elle se mit à rire, mais son rire sonnait faux.

« J'aimerais aller à Londres. Au théâtre, par exemple. Je n'y suis encore jamais allée — on ne peut pas considérer comme un vrai théâtre le Palace, avec ses bataillons de filles emplumées qui lèvent la jambe, n'est-ce pas ?

— Non, évidemment, reconnut-il en serrant sa main très fort, mais je ne saurais pas où t'emmener. Je ne connais rien au théâtre.

— Moi non plus. C'est bien ce qui m'ennuie. Il y a vraiment beaucoup de choses que je ne connais pas. De toute façon, inutile de rêver, ajouta-t-elle tristement, je ne crois pas que cela soit possible. Tu n'as pas de temps libre. Judith a trop à faire. Mes parents ont déjà pris leurs vacances et je ne peux pas partir seule. Ce n'est qu'une idée folle, une envie de casser la routine... »

Elle eut un sourire contraint.

« Attends un peu... Je pourrais de nouveau emprunter la voiture de mon père et t'emmener en promenade demain si tu veux. Prendre la route des falaises ou rouler à travers la campagne. Qu'en dis-tu ? Nous pourrions pique-niquer avant qu'il ne fasse trop froid. Ce sera la première fois cette année.

— Si tu veux. »

Elle baissa les yeux sur sa tasse et, dégageant sa main de la sienne, se leva maladroitement.

« Excuse-moi. J'ai besoin de me rafraîchir. J'en ai pour une minute. »

D'une démarche incertaine, elle traversa la pièce carrelée et laissa retomber derrière elle la porte des toilettes. Il la suivit du regard. Comment deviner ce qui avait pu éteindre ainsi toute joie en elle ?

Lucy, appuyée contre le lavabo rose pâle, s'observa dans la glace.

« Allons, souffla-t-elle. Du nerf... Tony s'est mis en quatre pour te faire plaisir. Il a même hypothéqué son poisson rouge. Ressaisis-toi. Tu es aussi lugubre qu'un dimanche de pluie sans amis. »

Et sans arc-en-ciel pour l'illuminer.

Cette pensée la bouleversa. L'apparition de Tom Reynolds, tout sourire, flânant dans les toilettes pour dames, n'aurait pas provoqué en elle de réaction plus violente.

« Bof, qui a besoin d'arc-en-ciel ? »

Elle sortit son tube de rouge à lèvres de son sac.

« Un arc-en-ciel est un phénomène lumineux en forme d'arche qui présente les couleurs du spectre dues à la dispersion de la lumière solaire par réfraction dans les gouttelettes d'eau de pluie. »

Elle tira la langue à son reflet et sourit, heureuse de se rappeler la définition qu'elle avait si soigneusement cherchée dans le dictionnaire.

« Et puisqu'il s'agit d'un phénomène de réflexion et de réfraction, un arc-en-ciel n'a pas d'existence concrète. On ne peut pas le toucher, contrairement à cet endroit ou au repas que nous venons de savourer, Tony et moi. »

Son expression s'adoucit.

Tony s'était montré si gentil et si sérieux pendant cette soirée.

Il était arrivé dans la voiture de son père, vêtu d'un élégant complet gris et d'une chemise bleue. Il portait la cravate lie de vin brodée à ses initiales qu'elle lui avait offerte pour Noël.

« La fleuriste n'avait plus d'orchidées, alors je t'ai pris une rose, à la place. »

En souriant, il lui avait tendu un bouton pâle et satiné, et l'espace d'une seconde, elle s'était demandé s'il désirait qu'elle mette la fleur à son oreille ou dans ses cheveux.

«J'ai pensé que tu pourrais l'épingler à ta robe. Sur l'épaule. Comme dans les mariages. Ta mère m'a dit que tu mettrais la bleue. J'en suis ravi : elle te va si bien!»

Nouveau sourire timide.

«Es-tu prête? Nous ne pouvons pas passer la nuit sur le pas de la porte, et tu es pieds nus...»

Pendant qu'elle allait chercher son sac à main et ses sandales dorées, il était entré dans le salon. A son retour, il sirotait du cherry, assis sur le sofa, tout en bavardant avec sa mère.

«Tony dit que la table est réservée pour vingt heures.»

Souriant d'un air approbateur, Netta s'affaira autour d'eux, faisant bouffer du doigt les cheveux de Lucy et lui ôtant une poussière imaginaire de l'épaule.

«Va prendre l'agrafe que m'a donnée ton père pour notre anniversaire de mariage, chérie. Elle se trouve dans le tiroir de ma coiffeuse. Elle tiendra très joliment ta rose.»

Docile, Lucy avait laissé sa mère agrafer la fleur et comme les héroïnes de romans américains, elle était finalement partie au bras d'un Tony qui semblait un parfait étranger. Sur le seuil de la maison éclairée, ses parents leur faisaient des signes d'adieux.

«Mais Tony n'a rien d'un étranger.»

Elle sentit la fraîcheur du miroir sous son front.

«C'est le garçon que j'aime. Qu'est-ce qui me prend, tout d'un coup?»

Aucune réponse du miroir. Son propre reflet lui semblait aussi irréel qu'un arc-en-ciel. Elle avait l'impression de se dédoubler. Elle se regardait agir et parler comme une inconnue, mais une inconnue trempée des pieds à la tête et dont les cheveux ruisselaient de pluie.

D'un geste sec, elle referma son sac, lissa ses cheveux et marcha résolument vers la porte.

Une question absurde lui vint à l'esprit : qu'était devenu le chiffon? Était-il toujours sur la plage? L'avait-il ramassé? Ses doigts se crispèrent sur le loquet de métal gris. Il fallait qu'elle sache. C'était extraordinairement important.

Si le chiffon avait disparu, Tom Reynolds aurait disparu aussi. Sinon...

«Et maintenant, que veux-tu faire?» demanda gentiment Tony.

Passant un bras autour de ses épaules, il la mena vers la voiture.

«Il est encore tôt. Pourquoi ne pas faire un tour au lotissement pour jeter un coup d'œil à l'emplacement de notre future maison?

— Non.»

Dans le clair de lune, elle pencha vers lui un visage lumineux et frémissant de vie.

«Allons plutôt nous promener tranquillement dans l'île. Elle est déserte à cette heure-ci.»

Déserte? Avec le fantôme d'un arc-en-ciel et, peut-être, celui d'une vieille écharpe gisant sur un rocher? Lucy se sentit brusquement coupable.

« D'accord. »

Tony la serra contre lui et lui donna un baiser rapide, soulagé de voir ses yeux étinceler comme avant.

« Pourquoi pas ? Allez viens, Cendrillon. Ta citrouille n'attend que ton bon plaisir. »

Cendrillon, ce n'est pas un nom de sirène, pensait Lucy pendant qu'il l'aidait à boucler sa ceinture de sécurité. Les sirènes s'appellent Miranda et elles ne peuvent en aucun cas glisser leur queue de poisson dans une pantoufle de vair.

7

*A*ttaché à un bout de bois maculé de peinture, le chiffon claquait au vent. Des enfants en avaient fait un drapeau de guerre. Heureusement il faisait noir, et Tony ne vit rien de la colère insensée qui envahit Lucy, la laissant tremblante et sans voix.

Main dans la main, silencieux, ils marchèrent lentement le long de la plage, puis Tony la prit dans ses bras et, pour la première fois depuis le début de leur idylle, elle se raidit, fuyant imperceptiblement ses lèvres et ses caresses.

Elle avait à nouveau l'impression de se dédoubler.

Tout se passait comme si aucun d'eux n'existait réellement, ni lui dans son complet gris, ni elle dans sa robe bleue fleurie d'une rose fanée. Tony parut comprendre.

«Allons viens. Rentrons. Il est tard et tu as froid. Nous n'aurions pas dû venir ici. Cet endroit respire la tristesse, maintenant que tout est fermé. Je me demande comment on peut y vivre.»

Le trajet du retour se déroula dans un silence morose et, pour une fois, ni l'un ni l'autre ne prolongea le moment des adieux.

Au grand soulagement de Lucy, ses parents dormaient déjà. A pas feutrés, elle monta dans sa chambre et s'y enferma, comme pour se protéger du monde extérieur.

Elle passa une nuit agitée à se tourner et à se retourner dans son lit, sans pouvoir éviter le visage de Tom, qui se glissait dans ses rêves, tel un fantôme rieur.

Enfin, à l'heure où l'aurore rampait sur les toits, elle se leva et, mue par une impulsion inexplicable, fit un petit paquet de toutes ses cartes d'anniversaire et le rangea soigneusement dans une boîte à chaussures, au fond d'un tiroir. «Mes années d'adolescence... pensa-t-elle, une petite partie de ma vie.

«Cela ne peut plus durer.»

Frissonnante, elle se pencha à la fenêtre.

«Ce n'est pas juste. Ni pour Tony ni pour moi. Je suis peut-être malade... J'ai peut-être attrapé un terrible virus. Voilà pourquoi je me sens si mal.»

La maison et la ville dormaient, impassibles. Personne ne l'avait entendue. Personne n'avait fait la moindre attention à elle. Le pot de balsamine s'étiolait tristement à sa fenêtre. Lucy avait oublié de l'arroser et ses feuilles commençaient à jaunir. Prise de remords, elle se précipita dans la salle de bains, remplit d'eau fraîche son verre à dents et aspergea la petite plante. Deux gouttes d'eau coulèrent sur la vitre comme des larmes.

«Il faut que je me ressaisisse.»

Elle s'habilla en un clin d'œil, enfilant sans s'en rendre compte son jeans et son chandail sale de la veille.

«Je suis complètement idiote. Une vraie folle. Je mériterais une fessée, ça m'aiderait à retrouver mes esprits.»

Elle descendit sans bruit. Les journaux n'étaient pas encore distribués, mais le plateau de ses parents était à sa place habituelle et les couverts du petit déjeuner, disposés avec soin, attendaient leur bon vouloir. Pour on ne sait quelle raison, cela l'irrita : tout était toujours si prévisible et si ennuyeux autour d'elle!

Elle mit la bouilloire sur le feu, prépara le café et les toasts puis, sans faim et sans plaisir, se mit à grignoter d'un air maussade. Par habitude.

Sous les premiers feux de l'aurore, la cuisine, illuminée, se changea en un décor publicitaire pour corn flakes et familles heureuses.

Agacée et clignant des yeux, Lucy alla prendre sa vieille veste au portemanteau. Il fallait qu'elle s'en aille un moment. Sinon, elle allait piquer une crise de nerfs et donner des coups de pied dans les meubles.

Comme chaque dimanche, Tony devait lui téléphoner vers onze heures, pour décider ce qu'ils feraient dans la journée. Elle prit ses clés et sortit silencieusement par la porte qui donnait sur la rue : elle ne voulait pas courir le risque de rencontrer M. Williams ou d'être accueillie par les jappements de Caspar qui réveilleraient tout le quartier.

Elle se dirigea à grands pas vers le jardin public, au centre de la ville, ignorant résolument l'envie brûlante qu'elle ressentait de retourner dans l'île, de mettre le chiffon en pièces et de le faire disparaître dans les flots.

Un chat, qui somnolait au sommet d'un mur, l'observa d'un œil circonspect.

Le sifflement d'un express matinal en direction de Londres ou de l'Écosse déchira le silence des rues encore vides à cette heure matinale.

Joyeuses, trois mouettes à tête noire tournoyaient en criant dans le ciel. Lucy les contempla un moment, jalouse de leur liberté. Elles n'avaient apparemment d'autre souci que de dénicher un endroit où la pêche serait bonne.

«J'aimerais bien être une mouette, chuchotat-elle, consciente de sa petitesse, de ses ridicules et de ses insuffisances. J'aimerais voler tout là-haut et regarder la terre en planant.»

Le parc s'étendit devant elle, avec ses pelouses jaunies par le soleil d'été et ses massifs de sauges et de géraniums d'un rouge flamboyant.

Elle avait autrefois songé à s'engager comme aide-jardinière. Empiler les feuilles mortes et nettoyer les pièces d'eau ne lui aurait pas déplu, mais sa mère s'était moquée d'elle.

«Ne sois pas stupide. Ce n'est pas un travail

pour une jeune fille. Songe à l'état de tes mains quand tu auras ratissé et brouetté la terre.»

C'est alors qu'elle avait accepté de travailler à mi-temps au supermarché, où elle s'était cassé plus d'ongles et davantage égratigné les mains, à empiler les boîtes de conserve sur les rayons, qu'elle ne l'aurait fait en balayant les feuilles mortes.

Elle gravit lentement l'Old Knoll, le bas de son jeans alourdi et taché de rosée.

Noyée de brouillard, la ville à ses pieds n'était plus qu'un amas indistinct de maisons et de rues.

Une voiture filait vers le port.

Sifflotant sur sa bicyclette, un vendeur de journaux longea les grilles du jardin public.

Lucy, fermant les yeux, s'adossa à une haie d'aubépine. Jamais auparavant elle ne s'était posé de questions sur la ville. Son enfance s'y était déroulée sans problème, et elle avait toujours cru qu'elle y passerait toute sa vie. Maintenant, elle n'en était plus si sûre. Elle sentit une grosse boule dans sa gorge mais, ne voulant pas pleurer, refoula ses larmes derrière ses paupières closes.

«Ça alors, dit tout à coup une voix tranquille. En voilà une coïncidence! Je me demande si c'est bien vous, en chair et en os, ou si c'est une apparition qui a choisi de me hanter. Au moins, vous n'êtes plus trempée... C'est déjà quelque chose.»

Elle refusa d'ouvrir les yeux, tant sa stupeur fut grande. Des situations comme cela, on en voit dans les feuilletons télévisés, mais pas dans la vie !

« Hé ! »

Il lui effleura le bras, et elle frémit.

« Vous allez bien ? Vous n'êtes pas malade au moins ?

— Non. Je vais très bien. »

Elle ne pouvait plus l'éviter. Impossible de descendre la colline en courant et de se perdre dans le dédale des rues. Elle était trop loin, et elle n'en avait pas l'énergie.

« Bon. »

La voix parut soulagée, et elle devina qu'il s'asseyait par terre, les genoux sur le menton.

« Je vous ai cherchée toute la semaine à travers le Lego, je suis même allé me balader une ou deux fois sur l'île, mais en vain. Vous vous étiez volatilisée. »

Elle gardait les yeux baissés, confuse et embarrassée.

« Pourquoi me cherchiez-vous ? »

Le son de sa voix étranglée évoquait le cri rauque des mouettes quand elles plongent pour attraper un poisson.

« Vous m'aviez à la fois intrigué et contrarié en fuyant. J'ai attaché le chiffon à un bâton en signe de trêve... expliqua-t-il en souriant. Mais naturellement vous ne l'avez pas trouvé ?

— Si, répondit-elle en avalant avec peine. La nuit dernière, j'ai cru que des enfants s'étaient amusés avec. Je me promenais avec mon ami, enfin mon presque fiancé... »

Il lui fallait à tout prix parler de Tony.

«Nous avons fêté mon anniversaire dans un restaurant italien, continua-t-elle avec volubilité, mais le repas s'est terminé très tôt et, comme il avait sa voiture...

— Je vois.»

Tom Reynolds leva un sourcil.

«Un presque fiancé qui a une voiture et un repas de fête... Grandiose. Dans ce cas...»

Il fouilla dans une des poches de son blouson de toile défraîchie, en sortit un chocolat à la liqueur enrobé de papier doré, l'observa longuement et le lui tendit.

«J'aimerais me joindre à la fête. Prenez un verre de kirsch. J'ai bu tout le cherry, mais si je trouve encore du champagne, je le boirai à votre santé.»

Étonnée, Lucy le regarda poursuivre ses recherches. Il finit par dénicher un chocolat cabossé.

«Le champagne est épuisé, mais un bon calvados n'a jamais fait de mal à personne. Il vous réchauffe sous la bise hivernale. A votre santé.»

Il croqua la friandise, la savoura quelques secondes, puis regarda Lucy.

«Encore un peu jeune. Cuvée 85, je dirais. Mais il se bonifiera en vieillissant.»

La tête rejetée vers le ciel, il ajouta, pensif :

«A mon avis, il a poussé sur les coteaux normands. Il a un arrière-goût de belle pomme rouge... D'où son bouquet.»

63

Cessant de contempler le ciel, il fronça les sourcils.

« Allons, allons, vous ne buvez pas. Qu'est-ce qu'il y a ? Aujourd'hui, c'est une autre fête. Nous célébrons notre moment de vérité, le commencement d'une grande histoire... »

La joue déformée par le chocolat, il leva les bras vers la lumière naissante.

« Nous buvons à l'aube d'un jour nouveau. J'ai enfin retrouvé la demoiselle en détresse qui s'est enfuie, ruisselante, sous l'arc-en-ciel. Ma quête est finie. Le seul ennui, c'est que je ne sais toujours pas son nom. La dernière fois que je l'ai vue, je l'ai soupçonnée de s'appeler Miranda ou, à la rigueur, Perséphone, qui était elle aussi souvent mouillée par la faute de la malicieuse Aphrodite. »

Il marqua une pause, s'arrêta de mastiquer, avala et conclut avec le plus grand sérieux.

« Vous connaissez mon nom. Vous avez donc un avantage sur moi. C'est injuste. »

Lucy, éberluée, s'aperçut qu'elle avait écouté Tom sans comprendre. Ses paroles, les noms de Perséphone, de Miranda et d'Aphrodite l'avaient submergée. Par la magie de ce discours obscur, il l'avait presque hypnotisée et c'était très agréable.

Elle cligna des yeux.

« Excusez-moi. Je n'ai rien entendu. »

Son corps glissa machinalement le long de la haie, et elle se retrouva assise près de lui dans l'herbe.

«Je vous ai demandé, murmura-t-il patiemment, quel est votre nom.

— Lucy.»

Il s'étira, les bras derrière la tête.

«Et d'où venez-vous, Lucy?

— De là-bas.»

Elle indiqua vaguement la direction d'un signe
de tête.

«Et vous?

— Oh, moi...»

Il se retourna sur le côté, appuyé sur un coude.

«Je viens de partout et de nulle part. Je suis
l'éternel errant à la recherche de la vérité.

— A la façon dont vous parlez, dit Lucy en
l'observant gravement, vous avez surtout l'air
un peu fou... Que faites-vous ici? Êtes-vous en
vacances? Nous avons beaucoup de hippies dans
la région, mais en général ils arrivent au début
de la saison et ils n'entrent jamais dans le jardin public.

— Cela se comprend. L'endroit n'est pas très
rigolo. Enfin, c'est un parc comme tous les
parcs... Rien que des bancs et des parterres de
fleurs, mais tout y est tellement taillé et domesti-
qué qu'on ne se sent guère en liberté. Ici, en haut
de la colline, c'est mieux. Les buissons d'aubépine, au moins, ne sont pas taillés.»

Lucy frémit d'étonnement. Avait-il lu dans ses
pensées ou bien cette allusion à l'aubépine n'é-
tait-elle qu'une coïncidence de plus?

«Que se passe-t-il?»

Il lui caressa le dos de la main.

« Ai-je dit quelque chose de mal ?

— Non. »

Ce simple geste l'électrisa tellement qu'elle faillit crier. Elle retira vivement son poignet.

« Alors, parlez-moi de vous. Nous sommes tous les deux au sommet de la colline, par un beau matin ensoleillé, seuls vivants dans ce monde endormi. Nous ne pouvons pas nous ignorer.

— Je... Il n'y a rien à dire, avoua-t-elle, gênée.

— Comment ? Rien à dire avec un ami-presque-fiancé ? Quel âge avez-vous ?

— Seize ans. »

Elle se sentit rougir.

« Et vous ?

— Quel âge me donnez-vous ? »

Elle savait qu'il était en train de la taquiner.

« Je pourrais avoir l'âge de Mathusalem ou celui de Peter Pan si quelqu'un voulait seulement me rendre mon ombre.

— Pourquoi êtes-vous ici ? »

Elle le dévisagea avec gravité, résolue à obtenir une réponse sensée, même si elle devait y consacrer son après-midi.

« Qu'est-ce que vous faites dans la vie ? »

Le visage du jeune homme s'assombrit.

« Je suis ici parce que je n'avais pas particulièrement envie d'aller ailleurs. Je travaille dans le Lego, je construis des petits pavillons pour les petits fiancés et leur future femme... C'est comme ça que je gagne ma vie. »

Il haussa les épaules.

«J'en avais assez de Londres et de tous mes amis bidons, alors j'ai sous-loué mon studio, j'ai bouclé ma valise, et j'ai sauté dans le premier train en partance. J'ai échoué ici.

— Mais vous n'êtes pas entrepreneur de travaux publics, vous ne parlez pas comme eux !

— Non, c'est vrai, expliqua-t-il, avec un sérieux imperturbable. En réalité, je ne suis rien de précis actuellement. A Londres, j'étudiais l'art dramatique et la diction.»

Il roula les «r» de la dernière phrase d'une façon théâtrale.

«J'ai longtemps été un apprenti-acteur et j'en ai eu marre. Je n'arrivais à rien et je ne m'imaginais nulle part. Alors, j'ai dit au revoir à tous mes séduisants professeurs et je suis parti voir ailleurs.

— Vous avez l'intention de faire quoi?»

La tiédeur du soleil, qui jouait sur le visage et le cou de Lucy, dissipa les tensions accumulées pendant la semaine.

«Je n'en ai aucune idée. Professeur, peut-être, mais plus tard quand j'aurai terminé ma licence. Ou alors écrivain. Ou globe-trotter. N'importe quoi... J'ai le temps, et je n'ai aucune attache. Je peux faire ce que je veux.

«Mon père était entrepreneur. J'ai appris un peu le métier à son contact. J'ai fait le tour de la ville, j'ai décidé d'y rester quelques jours, et dans un pub près du port, un type m'a dit qu'on recherchait de la main-d'œuvre sur le nouveau lotissement. J'y suis allé. J'ai jeté un coup d'œil.

J'ai été embauché. Voilà toute l'histoire. A vous, maintenant. »

Se redressant sur un coude, il se pencha au-dessus d'elle, et elle eut, pendant quelques secondes, l'affolante sensation qu'il allait l'embrasser.

« Oh, moi, je suis tout à fait banale. »

Elle se releva et regarda attentivement sa montre.

« Je travaille dans un supermarché trois jours par semaine. Oh ! là ! là ! je ne me rendais pas compte qu'il était si tard. Il faut que je me dépêche. Ça m'a fait plaisir de bavarder avec vous. »

Elle lissa sa jupe pour en ôter des feuilles imaginaires, et descendit l'Old Knoll aussi vite qu'elle put.

Couché dans l'herbe, Tom la regarda partir.

« Lucy ! »

Sa voix retentit dans l'air limpide.

« Je vous reverrai ? »

Elle se détourna à demi, prête à fuir comme un moineau effarouché, et le regarda d'un air perplexe.

Il crut la voir dire oui. Elle crut avoir dit non. Pourtant, tous deux savaient que leurs chemins se croiseraient une troisième fois. Qu'arrive-rait-il alors ? Tout en se hâtant vers la réalité familière et sûre, la ville monotone et les journaux du dimanche, Lucy, troublée, se posait la question.

8

*E*lle réfléchit tout le long du chemin, un chemin qu'elle prolongea à dessein en empruntant des rues transversales où elle n'avait pas mis les pieds depuis des années. Elle déambula ensuite une demi-heure sur les quais du port et contempla les marins du dimanche qui s'apprêtaient pour une dernière sortie en mer avant que l'hiver n'immobilise leur bateau.

Elle surveillait constamment sa montre et, dès que l'aiguille indiqua onze heures, elle rassembla son courage et rentra chez elle.

Quand elle pénétra dans la cuisine, le teint rosi et les cheveux ébouriffés, Judith mangeait un croissant, sa mère s'affairait autour du traditionnel rôti de porc qu'elle ne jugeait pas assez doré et son père tondait la pelouse.

Il était exactement onze heures vingt-deux.

«Tony t'a appelée, dit sa mère en salant le rôti. Il espère que vous sortirez ensemble aujourd'hui. Je lui ai dit que tu n'étais pas là, et je l'ai invité à déjeuner avec nous. Il m'a semblé un peu bizarre. Il s'est passé quelque chose entre vous ?

— Non, pourquoi ?»

Lucy emplit la bouilloire, la mit sur le feu et s'appliqua à essuyer une tasse.

«Je ne sais pas, chérie. C'est simplement une question que je me posais. Au fait, où étais-tu ? Tu as dû partir très tôt. Ton père m'a dit qu'il avait trouvé les journaux sur le paillasson.

— Je suis allée me promener en ville, et je me suis assise dans le parc un moment.»

Le sang lui martelait les tempes. Pourvu que je ne rougisse pas, se dit-elle.

«Ensuite, j'ai flâné jusqu'au port. Il faisait si beau ce matin ! ajouta-t-elle, feignant l'enthousiasme. Je n'avais plus sommeil et je n'avais pas envie de rester dans mon lit, mais j'ai perdu la notion du temps. A quelle heure Tony doit-il passer ?»

Judith lui jeta un regard surpris. «Passer» était un terme que Lucy n'employait jamais en parlant de Tony, d'ordinaire. Il exprimait une acceptation morose et résignée, avec une nuance de mauvaise humeur.

«Ton père l'a rencontré au pub. Ils rentreront sans doute ensemble comme d'habitude.»

Sa mère rit machinalement.

«Il fait un peu chaud pour manger du rôti de porc avec une sauce à la menthe, mais les prévisions météorologiques annonçaient un temps frais et nuageux...

— C'est l'été indien.»

Judith se leva, lava son assiette, puis se sécha les mains en examinant ses ongles vernis.

«Merci pour le petit déjeuner, Netta. Excuse-moi d'être arrivée si tôt.»

Elle se tourna vers sa nièce.

«Lucy, je sais que je m'y prends un peu tard, mais pourrais-tu venir garder Bulle jusqu'à mercredi? Mon patron est débordé et il m'a demandé de le remplacer à Édimbourg cet après-midi. J'ai fait des provisions pour Bulle, et je t'ai rempli le congélateur. Tu pourras inviter Tony, bien sûr.»

Lucy éprouva une telle joie qu'elle faillit en briser sa tasse contre le robot-mixeur. Être seule chez Judith avec Bulle pour toute compagnie: c'était exactement ce qu'il lui fallait. Personne pour lui poser des questions. Personne pour deviner ses pensées, lui imposer une conversation ou la regarder d'un air préoccupé si elle ne répondait pas.

«Qu'en penses-tu, maman? demanda-t-elle en essayant de ne pas trahir sa joie.

— En ce qui me concerne, je n'y vois aucun inconvénient, chérie. Tu le sais bien. Tu es très bien chez Judith. Pourvu que Tony et toi déjeuniez avec nous, vous pourrez partir quand vous voulez. Cela te fera un intermède agréable. Tu es en vacances, après tout.

— Alors tout est réglé.»

Judith se demanda pourquoi Lucy s'absorbait si totalement dans la contemplation du sucrier.

«Je viendrai tout de suite après le déjeuner, Judith. Ça ira pour toi? Et Bulle, où est-elle? Dans la maison ou dans le jardin?

— Dans la maison. Elle dormait sur mon lit quand je suis partie. La chambre d'amis est prête. Accompagne-moi à ma voiture, veux-tu?»

Elle lui tapota l'épaule.

«Il faut que je te dise où sont les boîtes pour le chat.»

Lucy la regarda d'un air intrigué.

«Mais je sais où tu les ranges...

— Accompagne-moi quand même à la voiture. Après ton départ dimanche, j'ai tout nettoyé de fond en comble et je les ai changées de place.»

La tante et la nièce échangèrent un regard, puis Lucy baissa les yeux.

«D'accord», marmonna-t-elle.

Et, tandis que Judith prenait congé de sa mère, elle se dirigea vers la porte du jardin.

Le soleil s'était évanoui. De gros nuages de pluie s'amoncelaient dans le ciel. Sifflant doucement à travers le feuillage du pommier, le vent annonçait la tempête, et Lucy luttait contre une sensation de panique grandissante.

C'était idiot d'imaginer que le ciel désapprouvait sa rencontre avec Tom.

Nous n'avons fait que bavarder après tout, se raisonna-t-elle. Elle se demandait si elle ne ferait pas bien de s'inventer une migraine dévastatrice pour éviter Tony jusqu'à ce que son trouble et sa mauvaise conscience aient disparu.

«Alors, mon petit, qu'est-ce qui se passe?»

Le bras de Judith entoura affectueusement les épaules de Lucy.

«Tu es comme une chatte sur un toit brûlant. Aurais-tu revu ton bel inconnu de dimanche dernier?»

Elle l'entraîna vers la voiture, hors de portée de voix. Lucy maudit intérieurement la sagacité de sa tante.

«Pas volontairement, si c'est ce que tu insinues.»

Elle hésita à poursuivre.

«Je suis tombée sur lui par hasard, voilà tout.

— Si j'en juge par ta mine, ce n'était pas un hasard heureux. Lucy, je sais que tout cela ne me regarde pas, mais... je ne veux pas que tu souffres. Tony est un gentil garçon. Vous êtes peut-être trop jeunes tous les deux pour vous engager aussi totalement l'un envers l'autre. Mais je t'en prie, ne le laisse pas tomber à cause d'un étranger qui disparaîtra un beau matin. Tu en seras trop malheureuse.»

Un éclair de fureur brilla dans le regard de Lucy.

«Je n'ai pas l'intention de laisser tomber Tony. J'ai seulement rencontré Tom. Rien de plus. Nous avons bavardé. Il travaille sur le lotissement, Judith.» La colère de Lucy tomba. Elle poursuivit, essayant désespérément de faire comprendre ce qu'elle éprouvait:

«Tom n'est pas comme les autres. Il vient de Londres où il étudiait l'art dramatique, mais il a tout abandonné... Nous avons porté un toast pour mon anniversaire... avec des chocolats à la liqueur. J'en avais un au kirsch. Le sien était au calvados parce qu'il n'en restait plus au champagne et au cherry. Il est farfelu et charmant, mais ce n'est pas Tony.

— Je vois», dit Judith calmement en ouvrant la portière de sa voiture. Elle jeta son sac à main sur le siège à côté du chauffeur.

«Et qui étais-tu pour lui, ce matin? Une dryade?»

La jeune fille choisit d'ignorer le sarcasme.

«Bon. Je te verrai à mon retour.»

Judith poussa un profond soupir.

«Amuse-toi bien, chérie, et essaie de retrouver ton bon sens. Ne laisse pas ton imagination menacer ton bel équilibre.»

Elle effleura les cheveux de Lucy en regrettant de ne pouvoir lui en dire plus. Elles se regardèrent, inquiètes et gauches.

«Dis-moi, Judith... qui était Perséphone?»

Judith ouvrit de grands yeux.

«Qui?

— Perséphone. Tom m'en a parlé ce matin.

— Ah bon? Je croyais que sa spécialité, c'était les sirènes!»

L'espace d'une seconde, Judith eut envie de rire.

«Et lui, sous quels traits se voit-il? Ceux de Zeus ou de Pluton?

74

— Qu'est-ce que tu veux dire ? »

La perplexité de Lucy n'était pas feinte.

« Perséphone était la fille de Zeus et de Déméter. Hadès, le dieu des Enfers, tomba amoureux d'elle et l'enleva pour l'emmener dans le monde des ténèbres. Déméter en fut si désespérée que Zeus intervint. Au lieu de passer toute l'année au royaume des Ombres, Perséphone devrait vivre six mois auprès de sa mère et six mois auprès de son mari. Quand elle est à l'air libre, avec Déméter, la terre se couvre de fleurs. C'est le printemps. Quand elle doit repartir chez son époux, la végétation meurt. C'est l'hiver. »

Judith vit passer sur le visage de Lucy une expression heureuse et lointaine.

« Et qui était Aphrodite ?

— La responsable du drame. Elle avait ordonné à Éros de tirer une de ses flèches sur Hadès pour que même le dieu des Enfers sache ce qu'était l'amour. Enfin... conclut Judith avec un haussement d'épaules, c'est ce que racontent les vieux mythes. Ton Tom ne manque pas d'imagination, je le reconnais.

— Ce n'est pas *mon* Tom, rétorqua sèchement Lucy. C'est quelqu'un que j'ai rencontré. C'est tout. Il est probable que je ne le reverrai plus.

— Ça, tu vois, ça m'étonnerait. »

Judith se sentit, tout à coup, incroyablement vieille, fatiguée et triste.

« En tout cas, s'il veut être Orphée, refuse de devenir son Eurydice. Ce mythe-là s'est très mal terminé. Mais je ne peux passer ma journée à te raconter les légendes de la Grèce, je vais manquer mon avion...»

Elle serra sa nièce contre elle et l'embrassa rapidement.

«Fais attention à toi. Mes amitiés à Tony. Nous nous verrons mercredi, probablement vers quinze heures. D'accord?

— D'accord.»

Lucy tenta de sourire, mais ses yeux restèrent graves. Judith démarra. Au moment où la voiture descendait l'allée de graviers, un éclair zébra le ciel, et la première pluie d'hiver glaça la main que Lucy agitait.

9

*L*a journée suivante ressembla à un de ces cauchemars où le dormeur rêve qu'il court éperdument à travers les ténèbres sans pouvoir s'arrêter ni s'éveiller.

Quand ils eurent savouré le rôti de porc à la menthe et le soufflé au cherry, Tony et Jeffrey Atkinson se plongèrent dans la lecture des résultats sportifs. Pendant ce temps, Lucy lavait la vaisselle et Netta préparait le café.

Lucy s'était montrée silencieuse et distante. Elle avait docilement embrassé Tony à son arrivée, avait très peu parlé durant le repas et mangé moins encore. A une question inquiète de sa mère, elle avait répondu d'un ton aigre qu'elle se sentait en pleine forme, malgré une légère migraine.

Sous une pluie battante, Tony la conduisit chez Judith et, selon son habitude, l'accompagna à l'intérieur du pavillon.

C'est alors que les choses se gâtèrent.

« Tout s'est passé comme si j'avais perdu l'usage de la parole, songea Lucy plus tard en regardant la pluie tomber sur le jardin de Judith. Impossible de m'exprimer normalement. Chaque fois que Tony commençait une phrase, tout se brouillait dans ma tête, je n'entendais même pas ce qu'il me disait. Je le regardais comme on regarde un film pendant une panne de son. »

Finalement, après deux tasses de café, Tony s'était départi de son calme habituel.

« Écoute, Lucy. »

La prenant par les épaules pendant qu'elle ouvrait une boîte de nourriture à l'intention de Bulle, il l'obligea à se retourner vers lui.

« Je ne sais ce que tu as ni ce qui t'est arrivé, mais tu te comportes tout à coup envers moi comme si je n'étais plus qu'une mouche sur le mur.

— Excuse-moi, Tony. »

Le front plissé, il la suppliait du regard.

« Je n'aime pas ça. Si je t'ai déplu en quoi que ce soit, dis-le-moi. Nous allons en parler, mais ne m'ignore pas ainsi.

— Je ne t'ignore pas. »

Comme il lui était difficile de s'exprimer !

« Tu n'as rien fait de mal. C'est moi qui suis en tort. Je suis vraiment désolée. »

Elle se tenait mollement devant lui, évitant son regard alors qu'il serrait ses mains dans les siennes. Au bout d'un moment, il soupira, la

78

lâcha et se détourna pour prendre les clés de sa voiture.

«Je crois qu'il vaut mieux que je te laisse seule. Tu pourras te défouler sur Bulle. Je t'appellerai demain, si toutefois cela ne risque pas d'interrompre le cours de tes réflexions, apparemment très importantes.»

Sous le sarcasme, Lucy rejeta la tête en arrière, furieuse. Elle tapa du pied.

«J'ai dit que j'étais désolée, Tony.»

Elle alla à la fenêtre et, croisant les bras, contempla le jardin.

«Inutile d'être si désagréable.

— Vraiment? Tu n'es pas particulièrement gentille avec moi, tu sais.»

Avec la soudaineté d'un orage, la querelle avait éclaté entre eux.

Lucy frissonna. Ils avaient vociféré et hurlé comme deux enfants se disputant le même jouet, et elle était incapable de se rappeler ce qu'ils s'étaient dit. A la fin, Tony était parti en claquant la porte, et en lui demandant de téléphoner quand elle aurait retrouvé sa raison. Bulle s'était tapie sous la table.

Les larmes aux yeux, Lucy s'écroula sur une chaise, ignorant le miaulement plaintif du chat qui voulait aller jouer dehors avec les gouttes de pluie.

Elle resta prostrée toute la journée dans un fauteuil à contempler le téléphone d'un air absent. Tony allait-il se décider à l'appeler? A deux reprises, elle décrocha le combiné et composa le numéro du magasin, mais une espèce de torpeur s'abattit sur elle, et sa main, instinctivement, raccrocha.

D'une démarche impatiente, elle traversa la pièce et alluma la lumière.

Bulle, qui avait compris que le jardin serait zone interdite durant la crise de Lucy, sauta de la table et, après avoir émis un long soupir, se pelotonna dans le fauteuil de Judith en bâillant, les yeux à demi fermés. Lucy l'observa avec un petit sourire.

«Tu en as de la chance, toi!»

Les moustaches de Bulle frémirent en signe d'accord.

«Tu n'as rien d'autre à faire que dormir, manger et attraper un oiseau quand tu en as envie. Tu n'as pas à te tracasser pour ton avenir.»

Elle se mit à lui gratter le crâne, entre les oreilles, et le chat ronronna aussitôt d'un air béat.

«Je me demande si les chats pensent. Je me demande s'ils méditent sur les moyens d'améliorer les choses... Ils pourraient sûrement le faire eux aussi s'ils le voulaient assez fort... Mais le veulent-ils? Au fait, qu'est-ce qu'ils veulent? Et moi, est-ce que je le sais seulement, ce que je veux?»

Elle se redressa avec lenteur, et se passa la main dans les cheveux, désorientée.

Bien plus tard, après un seul appel téléphonique — de sa mère, qui voulait s'assurer que tout allait bien —, elle se traîna jusqu'à la chambre d'amis, se déshabilla et se laissa tomber sur le lit.

«Le diable emporte Tom Reynolds, chuchota-t-elle dans l'obscurité. Le diable l'emporte. Je ne veux plus le revoir.»

Mais, vers onze heures, le lendemain matin, comme mue par une force irrésistible, elle se dirigea vers le nouveau lotissement.

Des nuages maussades galopaient à travers le ciel, et la violente pluie de la veille avait fait place à une bruine morose.

L'été indien s'achevait. L'hiver, arrivant à grands pas, transformait les jardins en bourbiers.

Ce désordre plaisait à Lucy. Il atténuait la sécheresse des constructions modernes, donnait plus de vie à l'«espèce de Lego». L'expression la fit sourire, et c'est d'un œil neuf qu'elle regarda autour d'elle, découvrant des choses qu'elle n'avait jamais remarquées auparavant : par exemple la couleur bizarre des portes d'entrée dans la première rue, un brun rouge, comme du chocolat fondu.

Il y a quelque temps encore, elle n'aurait pas fait attention à la similitude des portes d'entrée. Elle aurait accepté ce détail comme elle acceptait tout le reste. Comme une chose qui allait de soi. Maintenant, en passant devant elles, Lucy s'interrogeait sur ceux qui vivaient derrière ces portes. Étaient-ils, eux aussi, tous semblables ? Comme dans *L'Invasion des extra-terrestres...* «D'ailleurs, pensa-t-elle — et cette fois, son visage s'illumina de gaieté —, qui me dit que les extra-terrestres ne sont pas déjà là ? Qu'ils n'ont pas secrètement envahi le lotissement, première étape dans leur conquête du monde?»

La vue d'une jeune femme, l'air fatigué, qui poussait une voiture d'enfant, la fit presque éclater de rire. Un rire qui mourut dans sa gorge.

Si tous ceux qui vivaient dans le lotissement étaient en réalité des extra-terrestres, alors le même sort les attendait, Tony et elle, quand ils viendraient y vivre. Ils perdraient leur personnalité et deviendraient des robots dociles.

Lucy frémit à cette idée. Sa propre personnalité n'avait peut-être rien de spectaculaire ou d'original, mais au moins c'était la sienne, et non le pâle reflet de quelqu'un d'autre. A cette pensée, Lucy se sentit le cœur à l'envers.

«Tu deviens ridicule, se gourmanda-t-elle. Rien de tout cela n'arrive dans la vie réelle. Les gens sont tous différents les uns des autres. C'est normal. Sinon, à quoi bon vivre?»

Elle tourna le coin de la rue et se dirigea vers le terrain en construction, mais la vue d'une autre jeune femme sur le trottoir d'en face la fit se rétracter. La même poussette où se balançait le même canard en plastique, le même air épuisé...

«Je ne veux pas devenir comme elles!»

Son cri resta silencieux, mais la panique la précipita vers ce qui avait été autrefois une lande et dont la terre était maintenant défoncée et retournée.

«Je ne sais pas encore vraiment ce que je veux être, mais une chose est sûre : je ne veux pas vivre comme cela... J'en mourrais d'étouffement.»

La pluie avait cessé. Lucy jeta au ciel un regard plein d'espoir, mais les nuages couleur de plomb demeuraient immobiles, et aucun arc-en-ciel n'indiquait le chemin du bonheur.

«Vous cherchez quelqu'un, ma belle?»

La voix masculine la fit sursauter. Elle se retourna, inquiète.

«Faites attention où vous mettez les pieds.»

C'était un ouvrier costaud à la chemise déchirée et aux grosses chaussures couvertes de boue.

«On pose des canalisations, expliqua-t-il.

— Ah bon.»

Elle ne trouva rien d'autre à dire.

«Vous habitez dans le coin ou vous venez faire une petite visite à un copain?»

Il sourit aimablement tout en réglant son pas sur le sien.

«Euh... c'est-à-dire...»

Elle sentit une rougeur envahir sa nuque.

«Connaîtriez-vous par hasard un certain Tom Reynolds? Je crois qu'il travaille ici.»

Elle regarda par-dessus son épaule comme si elle craignait d'être écoutée.

L'ouvrier fronça les sourcils et se gratta la tête.

«Tom Reynolds? Pas à première vue... De quoi a-t-il l'air?

— D'un garçon de dix-neuf ans. Grand et mince. Avec des cheveux bruns. Je crois qu'il n'est dans la région que depuis une ou deux semaines...»

Elle avala nerveusement sa salive. Elle n'avait jamais imaginé qu'elle rechercherait Tom pour de bon.

Elle s'était convaincue, en sortant du pavillon, qu'elle partait prendre l'air et que, pour une petite promenade, le lotissement était plus proche que l'île.

Maintenant, elle comprenait qu'elle avait toujours eu l'intention de le retrouver. Voilà pourquoi elle avait sauté sur l'occasion de demeurer seule chez Judith pendant quarante-huit heures.

L'émotion lui nouait l'estomac. Pour se réconforter, elle se dit qu'elle devenait — peut-être — raisonnable et que le fait de revoir Tom et de lui parler la débarrasserait — peut-être — de son obsession. Elle serait libre alors de téléphoner à Tony et de lui demander pardon.

« Essayez la baraque du contremaître. »

L'homme indiquait du doigt un bâtiment délabré derrière un grand panneau d'entrepreneur.

« Si quelqu'un peut vous renseigner, c'est Dave. Il vous dira où trouver votre Tom... Et faites attention où vous mettez les pieds. »

Nouveau sourire.

« Bonne journée ! »

Il la salua d'un geste de la main, puis s'en alla à grands pas, en sautant par-dessus les câbles et les monceaux de terre.

Lucy le regarda s'éloigner puis se dirigea prudemment vers la baraque. Elle n'avait jamais rien fait de tel dans sa vie et elle faillit éclater de rire en imaginant la tête de sa mère dans une telle situation. Pour Netta, tous les ouvriers étaient des crétins qui avaient échoué au baccalauréat, voire des attardés mentaux.

«Puis-je vous être utile, mademoiselle?»

Un homme d'un certain âge sortit de la baraque. Il portait une veste de cuir maculée de boue.

«Je cherche quelqu'un qui s'appelle Tom Reynolds. Un ouvrier m'a dit que vous sauriez peut-être où il est.»

Elle se sentit étrangement calme et maîtresse d'elle-même.

«Le jeune Tom? C'est l'heure de la pause. Il doit être en train de déjeuner. Si vous coupez par là, dit-il en indiquant de la main un sentier boueux entre les bulldozers et les tombereaux, et si vous continuez jusqu'au bout de la nouvelle zone de construction, vous devriez le trouver. Il s'isole souvent là-bas. Il dit qu'il aime bien travailler sur le chantier, mais qu'il ne voit pas pourquoi il devrait y manger.»

L'homme eut un petit rire complice.

«Je le comprends. Tous ces petits pavillons bien proprets... On s'y sent enterré avant l'heure.»

Il sourit devant la surprise de Lucy.

«Je ne suis pas amateur de moderne, expliqua-t-il. J'aime les maisons de pierre, bien solides, qui ont du caractère. J'en ai acheté une dans l'île pour une bouchée de pain, voici quelques années.»

Il l'accompagna jusqu'au sentier.

«Marchez tout droit jusqu'à la clôture. Vous

verrez un petit bois. Tom doit y être. Ne vous perdez pas en route.»

Avec un grand sourire, il porta un doigt à sa casquette et s'en retourna à grandes enjambées.

Lucy se mit en route. Les nuages, qui s'étaient un peu éclaircis, laissaient filtrer un soleil pâle.

La clôture de fil de fer rouillé s'affaissait par endroits jusqu'au sol. Lucy la franchit aisément, sautant avec un bruit sourd dans l'herbe rase qui recouvrait la lande.

Comme un champignon insolite, le bosquet surgit au sommet d'une petite colline sablonneuse. Le cœur battant à tout rompre, Lucy courut presque vers lui. Elle était si émue que la tête lui tournait.

A mi-chemin, elle fit un signe de la main.

Tom lui répondit du même geste et s'avança à sa rencontre, nonchalant. Il n'avait pas l'air surpris de la voir.

«Re-bonjour, sourit-il, la prenant par la main comme s'il la connaissait depuis toujours. Vous arrivez juste à temps pour le déjeuner. J'espère que vous aimez les sandwiches à la sardine.

— Je n'en ai jamais mangé», admit-elle en levant vers lui un visage rieur.

Elle est aussi fraîche et jolie qu'un matin de printemps, pensa-t-il.

«Il faut tout vivre au moins une fois, paraît-il... Cela dit, je doute que mes sandwiches représentent le fin du fin pour un gourmet.»

Il avait envie de la prendre dans ses bras et de l'embrasser. De lui avouer, en la serrant contre

86

lui, qu'elle était la première à produire sur lui un tel effet et qu'il ne savait pas pourquoi. De lui affirmer qu'elle lui était plus chère que n'importe qui au monde.

Un courant d'électricité passa entre eux, si fort qu'ils crurent en suffoquer.

«Il fallait que je vienne, dit-elle simplement.

— Je sais, répondit-il en hochant la tête. Malheureusement, il n'y a pas d'arc-en-ciel...

— Oh! si, il y en a un ...»

Elle se sentit, tout à coup, infiniment heureuse.

«On ne peut pas encore le voir, c'est tout...»

10

« *L*e terrain que vous venez de traverser était un champ, autrefois, déclara Tom sur le ton de la conversation. Pas très grand : juste une prairie, mais suffisante pour nourrir un cheval qui s'appelait Kickapoo. Dieu seul sait pourquoi... En langage algonquin, ça veut dire "celui qui se détache du lot". »

Il lui pressa la main en souriant.

« Ne vous laissez pas impressionner. Je connais énormément de choses inutiles. Je suis canadien-français par ma mère. Ceci explique sans doute cela.

— Qu'est-il arrivé à Kickapoo ? demanda

Lucy d'un ton sérieux. Quelle sorte de cheval était-ce?

— Un cheval ordinaire.»

Tom haussa les épaules.

«Il était vieux, avec des jambes plus très solides. Mais parce qu'on l'aimait bien, on l'avait laissé là à brouter l'herbe.

— Et alors?»

Lucy, intriguée, tourna les yeux vers le lotissement.

«Le Conseil municipal a voulu faire construire. Il a acheté le terrain et expédié Kickapoo chez l'équarrisseur. Le pauvre a donc sans doute fini dans une boîte d'aliments pour chats — ce qui vaudra à la mairie la reconnaissance des matous, mais c'est quand même triste, non? Il ne faisait de mal à personne, ce cheval. Il restait dans son champ, acceptant de temps en temps un morceau de sucre d'une vieille dame ou d'un enfant. Et puis...»

Tom fit mine de se couper la gorge du tranchant de la main.

«... c'est ce qu'on appelle le progrès.

— Non! C'est épouvantable.»

Frissonnante, Lucy se rapprocha de lui.

«Pourquoi l'avoir tué? Pourquoi ne pas l'avoir mis dans un autre champ?»

Ils avaient atteint le petit bois, et Tom s'affala sur le sol, entraînant la jeune fille avec lui.

«Son maître ne l'aimait pas assez. Ou bien il le trouvait trop encombrant — ou un peu trop voyant, comme son nom...»

Tom entoura de son bras les épaules de Lucy en soupirant.

«Qui peut savoir? Qui sait le pourquoi des choses? Les gens tombent amoureux, mettent au monde des enfants qui grandissent, et à leur tour tombent amoureux, se marient et ont besoin d'un endroit pour vivre. Alors les Kickapoo sont transformés en pâtée pour les chats.»

Il la serra brièvement contre lui et, fouillant l'herbe humide, en sortit quelques sandwiches enveloppés dans du papier d'aluminium.

«Voilà, voilà...»

Il lui en tendit un.

«Veuillez accepter cette modeste collation, ma chère. Imaginez que vous êtes en train de bronzer sur une terrasse cannoise, pendant qu'un beau jeune homme vous prépare un campari-soda, et vous allez vous régaler.»

Lucy plissa le nez. L'odeur âcre du poisson emplissait l'air.

«Tom?»

Elle mordit dans le pain blanc, crut qu'elle allait s'étouffer et avala péniblement.

«Oui?»

Il l'observait intensément.

«Pourquoi parlez-vous comme ça? demanda-t-elle. Comment savez-vous tant de choses? Par exemple, au sujet de Kickapoo. J'ai vécu ici pendant seize ans, et je n'ai jamais su que ce lotissement avait été construit sur un champ où paissait un cheval.

— Un point pour moi.»

Tom enveloppa les sandwiches restants et les rangea dans sa musette.

« C'est normal. On ne connaît jamais l'endroit où on vit. On ne s'y intéresse pas assez. Je suis né à Londres. J'y ai passé mon enfance, mais je suis sûr que, si vous y viviez une semaine, vous pourriez m'apprendre des tas de choses sur mon quartier. »

Il quitta d'un coup son attitude nonchalante.

« Il suffit de savoir regarder autour de soi avec l'œil du nouveau venu. Parler aux gens parce qu'ils vous intéressent sincèrement et non par obligation. C'est Dave, le contremaître, qui m'a raconté l'histoire de Kickapoo. Lui et les autres types étaient furieux quand c'est arrivé. »

Il la regarda du coin de l'œil. L'expression de Lucy, grave et réfléchie, lui donna l'envie irraisonnée de marcher sur la tête ou d'exécuter un double saut périlleux pour la faire rire de nouveau.

« Parlez-moi de vous. »

Il prit ce qui restait de son sandwich et l'emballa soigneusement avec les autres.

« Pourquoi êtes-vous "presque fiancée" et pourquoi travaillez-vous dans un supermarché ? »

Elle hésita à répondre.

« Je ne sais pas vraiment. C'est le seul emploi que j'aie pu trouver. Je n'ai aucune qualification. Oh ! je tape un peu à la machine, poursuivit-elle, confuse. J'ai suivi quelques cours de secrétariat à l'école, mais la plupart des filles ici sont dactylos, et comme elles tapent mieux que moi, ce sont elles qui trouvent du travail. Papa voulait que je poursuive mes études jusqu'au baccalauréat, mais moi je n'en voyais pas l'intérêt.

— Pourquoi? C'est vous qui ne vouliez pas ou c'était le presque-fiancé?» questionna Tom avec douceur.

Elle sourit timidement.

«Les deux, je crois. Je n'y ai jamais vraiment réfléchi et Tony semble m'aimer telle que je suis.

— Tony, c'est avec lui que vous avez célébré votre anniversaire, n'est-ce pas?»

Il la regardait attentivement. Elle lui faisait penser à ce jeune étourneau qui était tombé un jour sur sa terrasse. Il connaissait à fond la théorie du vol et pouvait l'appliquer en ligne droite à quelques centimètres du sol, mais ses ailes étaient encore incapables de prendre leur essor et de l'élever dans les airs. Finalement, Tom l'avait attrapé avec précaution et l'avait porté au grenier, sur le rebord de la lucarne.

Et cinq minutes plus tard — une éternité pour un oiseau — ,l'étourneau pépiait de joie au-dessus du jardin en décrivant des cercles de plus en plus larges.

Lucy ressemblait à cet oiseau. Un jour très proche, elle prendrait son envol, et elle tournoierait brièvement avant de filer d'un coup d'aile, comme Icare, vers son propre soleil.

Pour une raison indéfinissable, cette pensée l'attrista. La voix de Lucy interrompit ses pensées.

«Je connais Tony depuis toujours. En ce moment, nous sommes fâchés. Nous nous sommes querellés par ma faute.»

Elle le regarda droit dans les yeux.

«Je ne sais pas pourquoi, je n'arrêtais pas de penser à vous...

— Moi, je sais, dit Tom simplement. C'est le syndrome de l'amour fou, comme dans la chanson *Some Enchanted Evening*. L'étranger fascinant qu'on découvre soudain dans la foule. Dans notre cas, c'était un abri sur une plage déserte.»

Il chercha sa main et noua ses doigts aux siens.

«Que voulez-vous dire?

— C'est une chanson d'une vieille opérette américaine : *Si vous trouvez l'amour, ne le laissez pas s'envoler...*»

La main de Lucy répondit à sa pression.

« C'est pour ça que je n'ai pas pu vous oublier? Parce que nous nous sommes trouvés?»

Elle se blottit contre lui. Pris de panique, Tom comprit que s'il avait bondi dans le premier train en partance pour une destination inconnue, c'était parce qu'il ne voulait pas s'engager. Il ne voulait pas non plus de ce qui allait arriver, il en avait terriblement peur.

Il hocha la tête et ne sut jamais comment leurs mains s'étaient séparées et comment ils s'étaient enlacés.

«Nous nous sommes trouvés, répéta-t-il.

— Tom?

— Oui?»

93

Le visage de Lucy était si proche du sien qu'il pouvait sentir son haleine sur sa joue.

« Voulez-vous m'embrasser maintenant ?»

A sa grande surprise, elle ne rougit pas, et le monde ne sombra pas dans un océan de réprobation. Tout resta exactement comme avant qu'elle n'ait franchi la clôture et traversé « le Lego ».

«Oui, je crois que je veux... »

Il la tenait tendrement contre lui, essayant de plaisanter. Les yeux de Lucy, immenses et sombres, le regardaient avec gravité.

«Je crois que je vous aime», murmura-t-elle.

Tom se pencha sur elle et, pendant une fraction de seconde, il se demanda s'il ne serait pas plus sage de prendre la fuite, de lui dire qu'il n'avait rien d'autre à lui offrir que des sandwiches à la sardine, et qu'il était désolé si elle ne les aimait pas. Elle était beaucoup trop jeune et vulnérable pour qu'il bouleverse ainsi sa vie.

Leurs lèvres se touchèrent et s'unirent.

Elle sentit l'étreinte du garçon se resserrer autour d'elle, et ses mains lui caressèrent le dos, comme pour s'assurer de son existence.

Il chuchota, avec un sourire un peu triste :

«Je crois que je t'aime aussi, et je me demande si on n'est pas en train de faire une bêtise.

— Peut-être... mais c'est comme ça, on n'y peut rien. »

Il n'était pas totalement sûr de comprendre ce qu'elle voulait dire, mais cela n'avait aucune importance. Elle était là, tout contre lui, et le reste pouvait attendre, y compris les arcs-en-ciel.

11

*L*e soir suivant, Tony lui téléphona pour s'excuser. Il lui assura timidement qu'il l'aimait, qu'elle lui manquait et qu'il avait eu tort de s'emporter.

« Pardonne-moi, chérie. Je ne pensais pas ce que je disais. Mes paroles ont dépassé ma pensée : je te sentais si loin de moi... Comment vas-tu maintenant ? Est-ce que tu veux que je vienne te voir ? »

Lucy regarda fixement l'appareil. Cela devait arriver tôt ou tard. Elle le savait. Elle l'avait compris en revenant du lotissement. Elle avait même tenté d'imaginer la scène :

« Je regrette, Tony... Je ne sais pas comment te l'avouer, il y a quelqu'un d'autre dans ma vie. »

Mais cela ressemblait tellement à un mauvais film télévisé qu'elle avait fini par ne plus y penser, uniquement préoccupée de Tom et de ce qu'elle ressentait pour lui.

« Lucy ? »

La voix de Tony était inquiète.

« Ça va ? Tu es là ?

— Oui », répondit-elle d'un ton morne.

Elle ne voulait pas le voir. Elle ne voulait pas de cette soirée et de son immuable programme : café à l'arrivée de Tony, jeu avec Bulle, repas chinois devant la télévision et intermède sentimental mêlé de projets d'avenir où il serait question, comme chaque fois, des économies qu'il faudrait faire pour payer les traites de leur maison...

« Je viendrai vers vingt heures, d'accord ? Tu veux préparer le repas ou je passe prendre un plat chez le traiteur ? »

Elle frémit en pensant que l'inévitable était arrivé, mais elle décida aussitôt, impulsivement, de le refuser. Rien n'était vraiment inévitable. Les événements pouvaient être modifiés. Ils l'avaient bien été ce matin...

« Achète de la charcuterie chez Joe ! »

C'était le ton d'une femme de quarante ans, résignée et lasse. Lucy se rendit compte qu'elle parlait comme sa mère.

« Il y a tout ce qu'il faut ici. Je ferai une salade... Excuse-moi, Bulle a attrapé un oiseau, il faut que je raccroche. A ce soir. »

Elle reposa précipitamment le combiné et regarda le chat qui dormait sagement, étendu de tout son long, dans le fauteuil de Judith.

« Pardonne-moi, Bulle, mais j'avais besoin d'un prétexte ! »

Tom l'influençait jusque dans sa façon de parler, elle en prit conscience.

Elle entassa sans douceur la vaisselle sale dans l'évier et entreprit énergiquement de la laver.

«Il suffira peut-être que je revoie Tony pour que tout redevienne comme avant. Et si j'étais toujours amoureuse de lui et que Tom Reynolds ne soit que le rêve d'un après-midi?»

Elle s'interrompit et, de ses doigts savonneux, effleura la chaînette d'or.

«Bof, peut-être que tout ira bien, après tout.»

Tout alla bien et mal à la fois.

Tony arriva cinq minutes plus tôt que prévu, au moment même où elle finissait de mettre la table.

Il ne demanda pas de café. Il ouvrit une bouteille de vin et emplit leurs deux verres comme s'il voulait lui aussi changer la routine — ce qui, paradoxalement, agaça Lucy.

«Tu m'as manqué, tu sais...»

Il leva son verre et but à sa santé.

«Je pensais que tu m'appellerais. Plus tard, je me suis dit que c'était aussi bien à moi d'appeler : c'était ma faute autant que la tienne. Qu'as-tu fait de ta journée?»

Il était mal à l'aise, ça se voyait. Il gardait les yeux baissés en grignotant les cacahuètes qu'en bonne petite ménagère elle avait disposées dans des soucoupes. Tout enfant, elle ne jouait jamais «à la dînette». Maintenant, à seize ans, il lui semblait qu'elle passait son temps à ça.

«Pas grand-chose, répondit-elle en se détour-

98

nant vivement. Je suis allée me promener sur le lotissement, ce matin. J'ai discuté avec des ouvriers. Ils sont vraiment très gentils.»

C'était dit. Pour le moment, elle ne pouvait aller plus loin dans l'aveu.

«Tu as très bien fait, approuva-t-il en riant. Plus tu bavarderas avec les ouvriers, mieux tu sauras choisir la maison de nos rêves.

— Tony, tu veux vraiment qu'on aille vivre sur le lotissement?»

Elle s'appliquait à disposer sur chaque assiette les tranches de jambon et les morceaux de poulet qu'il avait apportés, mais sa voix était véhémente.

«J'ai bien regardé aujourd'hui. Tous les pavillons sont semblables. Il n'y a aucune originalité. Même les portes d'entrée sont toutes de la même couleur!

— On peut toujours repeindre une porte, chérie, aucune loi ne l'interdit, murmura-t-il avec flegme, buvant une gorgée de vin pour tenter de dissimuler sa surprise. Mais rien ne nous *oblige* à vivre là. Ce serait plus pratique et moins cher, c'est tout.

— Mais, Tony, tu parles comme si on avait cinquante ans!»

Elle hurla presque.

«J'en ai seulement seize et toi, tu n'en as même pas dix-neuf. Arrête de faire toujours comme si on était à deux doigts de la retraite et de la carte Vermeil!

— Excuse-moi.»

99

Cette fois, Tony haussa les sourcils.

«Voyons, Lucy, calme-toi. Que nous vivions là ou ailleurs, peu importe pourvu que nous y vivions ensemble. J'achèterai une caravane si c'est ce que tu désires. C'est ce que tu souhaites qui est important, rien d'autre.

— Je sais. Je suis désolée.»

Un étrange frisson de peur la traversa. Elle ne prononçait pas les mots qu'il fallait. Elle s'y prenait très mal. Elle en faisait trop. Elle aurait dû attendre d'être blottie contre lui sur le divan pour s'expliquer calmement.

«Il faut que je fasse attention, pensa-t-elle, sinon je vais finir par parler de Tom, de la façon dont il m'a embrassée et de l'effet que cela m'a fait. Ça rimerait à quoi? Je ne suis même pas sûre de mes sentiments.»

Un sourire retroussa ses lèvres. Tom avait prévu sa conduite. Il lui avait dit qu'elle devait revoir Tony pour pouvoir comparer et se faire son opinion.

«Sinon, tu le regretteras, avait-il chuchoté en caressant ses cheveux, les presque-fiancés ont priorité sur les bohèmes dans mon genre. Je suis probablement ce qui pouvait t'arriver de pire au monde, mais je suis là... Maintenant, mets-nous l'un à côté de l'autre, compare et réfléchis bien. Il se peut que dans quelques heures tu aies oublié jusqu'à mon existence.»

Il avait effleuré la chaîne d'or comme s'il savait qui la lui avait offerte et, après un dernier baiser, l'avait aidée à se relever.

100

«Quand tu reverras Tony, lui avait-il conseillé doucement, ne perds pas ton calme et ne te mets pas à crier. Donne-lui une chance, c'est la moindre des choses. Je ne veux pas t'enlever à lui. Pas avant que tu ne sois absolument certaine de tes sentiments.»

«Lucy?»

La voix de Tony se confondit avec l'image de Tom.

«Ne nous disputons pas ce soir, s'il te plaît. Soyons simplement nous-mêmes et profitons de cette soirée comme nous l'avons toujours fait quand Judith n'était pas là.»

Beaucoup plus tard, après le départ de Tony, convaincu — elle en était sûre — que tout était redevenu normal et qu'elle était de nouveau «sa» Lucy, la jeune fille éteignit la lumière dans la cuisine, posa sa tête sur ses bras et, le cœur déjà brisé, se mit à pleurer amèrement.

Elle était dans cette même position lorsque Judith revint, tout affairée, le mercredi après-midi,

«Eh bien... Qu'est-ce qui t'arrive? s'enquit-elle en lui donnant une joyeuse bourrade dans le dos. Il fait un temps magnifique. C'est une superbe journée d'hiver qui sent bon le feu de bois. Nous allons avoir de la gelée. Pourquoi n'es-tu pas partie te promener? A ta mine, on dirait que tu n'as pas vu le soleil depuis dimanche.»

Elle se baissa pour caresser Bulle qui s'enroulait autour de ses jambes en poussant de petits miaulements pathétiques. De toute évidence, le chat protestait contre le jeûne qui lui avait été imposé depuis son départ et le peu de cas qu'on avait fait de sa petite personne.

Encore somnolente, Lucy se frotta les yeux. Deux nuits quasiment blanches lui avaient laissé une abominable migraine et le sensation que sa colonne vertébrale allait craquer au moindre mouvement.

« Désolée, bredouilla-t-elle. Je ne me suis pas rendu compte de l'heure. Je n'ai même pas fait le ménage pour ton arrivée. »

D'un geste, elle montra les tasses à café vides et la pile de journaux éparpillés sur le sol.

« Tu as fait un bon voyage ?

— Assez bon, merci. »

Judith ôta sa veste, se déchaussa et s'assit avec soulagement.

« Toi, en tout cas, tu n'as pas l'air d'aller fort. »

Sous le regard de sa tante, la jeune fille revint péniblement à la réalité.

« Lucy... qu'est-ce qui se passe ? Tu as une mine épouvantable. Tu es toute décoiffée. Ton rimmel coule sous tes yeux. Et tout ce chantier, ajouta-t-elle, désignant le désordre qui régnait, ça ne te ressemble pas du tout ! Aucune importance, d'ailleurs : laver les tasses et ranger les journaux ne me prendra qu'une minute, mais j'ai la désagréable impression qu'il faudra beaucoup plus de temps pour t'aider à y voir clair. Allons, dit-elle, l'encourageant d'un sourire, raconte-moi, ma chérie...

— Il n'y a rien à raconter.»

Lucy repoussa ses cheveux derrière les oreilles et se frotta les tempes.

«Tony est venu deux fois. Bulle a essayé d'attraper ton merle et s'est emberlificoté dans le buddleia.»

Elle haussa les épaules.

«C'est tout.

— Et... Tom Reynolds?»

Le nom flotta dans la pièce comme une menace.

«Quoi, Tom?»

Les plis de la nappe dessinaient des motifs fascinants.

«Tu l'as revu?

— Oui.»

Relevant brusquement la tête, elle défia sa tante du regard.

«Oui, je l'ai revu.

— Et alors?

— Oh, Judith...»

Les mots sortirent dans une longue plainte qui donna à Judith l'envie de se lever, de serrer sa nièce contre elle, de la bercer jusqu'à ce qu'elle recouvre ses esprits et se rassure.

«Je l'aime. Je n'y peux rien. Je l'aime. Je ne sais presque rien de lui. Je ne sais pas pourquoi il me fait un tel effet. Cela tient du miracle... Dès que je suis loin de lui, j'ai l'impression de mourir... et puis, à la minute où je le vois, je revis à nouveau. Je n'ai jamais ressenti ça auparavant. Je ne savais pas qu'on pouvait ressentir quelque chose d'aussi fort. Tu comprends ce que je veux dire?

— Oh oui.»

Judith soupira.

«Je sais exactement ce que tu veux dire.»

Elle se leva gauchement et traversa la pièce jusqu'au bar où elle se servit un Martini dry.

«Je sais aussi ce que l'on ressent quand, un jour, le miracle se dissipe.»

Elle fit tourner le liquide pâle dans son verre, en but une longue gorgée puis regarda Lucy.

«As-tu parlé à Tony ou à tes parents?

— Non.»

Lucy inclina la tête d'un air malheureux.

«Ce n'est pas possible. Je ne peux pas. Tom dit que je dois attendre un peu, prendre de la distance...

— Un garçon intelligent, ce Tom...»

L'espace d'une minute, Judith souhaita être assez folle pour se remettre à fumer. Elle avait tellement besoin, en ce moment précis, de tenir quelque chose entre ses mains...

«Lucy, dit-elle enfin, ce que tu ressens n'est pas véritablement de l'amour. C'est un béguin. Une violente attirance physique certainement, mais ce n'est pas l'amour.

— C'est possible.»

En soupirant, Lucy se tordit les mains.

«Ce n'est pas le vrai problème, d'ailleurs. Mes sentiments, je pourrais me débrouiller avec. Mais...

— Mais?

104

— Je ne peux plus supporter Tony. Je ne veux plus de lui auprès de moi. Je ne veux plus l'entendre parler, je ne veux plus qu'il me touche, qu'il me dise qu'il m'aime ou qu'il me parle de notre vie ensemble quand nous serons mariés...

— Alors il faudra que tu le lui dises, murmura Judith en remplissant son verre. Tu es absolument sûre de ce que tu ressens?

— Tout à fait.

— Dans ce cas, tu es une idiote.»

Ces mots furent assenés sur un ton glacé que Lucy n'avait jamais entendu dans la bouche de sa tante. Stupéfaite, elle leva les yeux.

«Ne lâche pas la proie pour l'ombre. C'est ce que j'ai fait, moi, et regarde où cela m'a menée.»

Judith eut un sourire amer.

«Ça t'a menée où?»

Lucy prit conscience qu'elle avait froid, qu'elle avait peur et qu'elle ne se sentait pas bien du tout.

«Dans un pavillon de ma ville natale avec un chat pour tout compagnon aux approches de la quarantaine. La vieille fille type, quoi... C'est vraiment ce que tu veux?

— N...non.»

La voix de Lucy tremblait. Elle prit une profonde inspiration et déclara avec calme :

«Mais je ne veux pas non plus ce que Tony peut m'offrir.»

Elles se dévisagèrent. Judith se sentit prête à défaillir.

«Téléphone à tes parents. Dis-leur que tu restes avec moi encore deux ou trois jours. Puis amène-moi Tom Reynolds, à condition (elle appuya lourdement sur ces derniers mots) que tu saches où le trouver...

— C'est inutile. Je suis là.»

La voix nonchalante fit sursauter Judith. Tom se tenait dans l'embrasure de la porte.

«Vous devez être Judith?»

La main qui se tendit pour serrer la sienne était chaude, ferme et amicale. Le visage — quand elle se décida à le regarder — avait une maturité inhabituelle pour un garçon de dix-neuf ans.

«Mon Dieu, pensa-t-elle en voyant sa nièce se jeter dans les bras du jeune homme, que va-t-il arriver maintenant?»

12

«*J*e crois que je suis la cause du conflit, dit Tom en souriant, et cela ne m'étonne qu'à moitié parce que je suis souvent en conflit avec moi-même.»

Il lâcha la main de Judith et serra Lucy contre lui.

«Que fais-tu ici? Comment se fait-il que tu ne travailles pas?» demanda-t-elle en lui adressant un sourire si éclatant que Judith se sentit fondre.

Ce sourire lui rappelait celui d'une autre fille, qui avait deux ans de plus que Lucy alors, et qui était elle aussi résolue à se battre contre le monde entier pour pouvoir vivre sa vie.

«Il est possible que tu ne l'aies pas remarqué, face de clown, expliqua Tom en lui tapotant le bout du nez, mais il pleut à verse sur le chantier et le champ de Kickapoo est menacé d'inondation. Nous avons été mis en chômage technique, le temps que les fondations puissent être asséchées, l'idée d'un Lego flottant sur les eaux ne souriant à personne... J'en ai profité pour venir me promener dans le coin.»

Il sourit de nouveau à Judith en montrant son bleu de travail.

«Je vous prie d'excuser ma tenue, mais je n'ai pas eu le temps de me changer. Je suis venu comme ça, sur un coup de tête.

— C'est votre habitude, à ce qu'il paraît», répliqua Judith d'un ton glacial.

Lucy lui lança un regard furibond. Elle se tenait devant Tom, comme pour le défendre, et semblait tout à coup minuscule à côté du garçon.

«Oui, c'est vrai», convint-il.

Il jeta un coup d'œil autour de lui.

«La remarque peut sembler banale, mais je trouve que c'est une très jolie pièce. Il y a long-temps que vous habitez ici?

— Cinq ans. Écoutez, pour l'amour du ciel, asseyez-vous...»

L'atmosphère était lourde et tendue.

«Quand vous êtes debout j'ai l'impression d'être une naine. Voulez-vous boire quelque chose? Je viens seulement d'arriver et je n'ai pas encore saisi ce qui s'est passé ici ces trois der-niers jours. Je le regrette...

— Je prendrais volontiers une tasse de café.»

Avec aisance, Tom s'assit près de la fenêtre. Lucy lui rendit son sourire et courut s'affairer autour de la bouilloire.

«Mais rien ne s'est passé, du moins pas dans

le sens où vous l'entendez, Judith. Je peux vous appeler Judith, n'est-ce pas? Je ne connais pas votre nom de famille, de toute façon.»

Un autre aurait paru arrogant. Tom, lui, paraissait seulement pratique.

«Alors si rien n'est arrivé, pourquoi Lucy est-elle dans un état pareil? Pourquoi parle-t-elle de rompre avec quelqu'un qu'elle aimait beaucoup, du moins nous en étions tous persuadés, et qui l'aime vraiment? Pourquoi êtes-vous ici?»

Judith vida son verre et s'en versa un troisième, en souhaitant que l'alcool lui donne au moins l'illusion de mener le jeu.

«Et d'ailleurs, qu'est-ce que vous êtes venu faire dans cette ville?

— A quelle question dois-je répondre en premier?»

Tom prit la tasse que lui tendait Lucy, et Judith remarqua que la jeune fille ne lui avait même pas demandé s'il prenait du lait ou du sucre. Leur relation avait donc atteint un certain degré d'intimité.

«A toutes. Dans l'ordre qui vous conviendra. Je m'y perds un peu.»

Ignorant le regard furieux de Lucy, Judith se mit à gratter le crâne du chat endormi.

«Il y a dix jours, s'exclama-t-elle, Lucy a fêté son anniversaire. Ses parents étaient là, et le garçon qu'elle aimait, et tous ses amis. Nous étions tous très heureux!»

Judith se rendit compte que sa voix devenait

hystérique. Elle s'efforça de la maîtriser et y parvint.

« Et alors, Lucy est allée se promener dans l'île, elle a été surprise par une averse, vous lui avez montré un arc-en-ciel, et maintenant vous êtes tous deux assis dans mon salon comme deux personnages échappés des *Hauts de Hurlevent*. Pourquoi ? Pouvez-vous, à la fin, m'expliquer ce qui s'est passé ?

— Puis-je vous raconter une histoire ? »

Tony posa sa tasse sur la table, saisit la main de Lucy et la garda dans les siennes.

« A votre aise. Tant que ce n'est pas un conte de fées. Je ne suis pas d'humeur à en écouter et vous me semblez très versé dans cet art.

— C'est promis. Il n'y aura pas de fées. Pas l'ombre d'une, même au fond du jardin. »

Il sourit, et Judith, malgré elle, lui rendit son sourire.

« C'est une histoire très simple, commença-t-il. Il était une fois un petit garçon dont les parents étaient très ambitieux. Ils voulaient qu'il devienne Premier ministre ou qu'il épouse au moins une princesse royale. Il était fils unique et il n'avait aucune ambition. En réalité, quand il commença de grandir, tous les enfants du quartier se moquèrent de lui et le traitèrent de Jean de la Lune et de poule mouillée. Les vrais hommes, n'est-ce pas, ne passent pas leur temps à se raconter des histoires. »

La pluie martelait les vitres de la pièce obscurcie où personne ne songea à allumer le lampadaire. Appuyée contre le dossier de son fauteuil, Judith écoutait, fascinée.

«Sa mère, comme toutes les mères, le croyait supérieurement intelligent. Quand il eut onze ans, elle réussit à convaincre son père de l'envoyer dans une école d'art où il trouverait une ambiance favorable à l'épanouissement de ses talents. Ils cherchèrent longuement, et finirent par dénicher l'établissement idéal. Il y resta jusqu'à ses dix-huit ans. Ses professeurs le trouvaient, eux aussi, extrêmement intelligent et lui prédisaient un brillant avenir. Ses amis le trouvaient merveilleux parce qu'il possédait un petit studio bien à lui, tout en haut d'un immeuble, où ils pouvaient tous se réunir. Et toutes ses petites amies», il jeta un coup d'œil rassurant à Lucy et serra sa main plus fort, «se croyaient aimées. Chacune croyait être l'unique alors que ce salaud n'éprouvait rien pour personne. Puis son père tomba malade.»

Il les regarda l'une après l'autre.

«Je ne vous ennuie pas trop?»

Judith, hypnotisée, fit un signe de dénégation.

«Alors, le garçon changea. Il prit conscience de la fragilité humaine et il devint un homme. Il ne se trouva plus ni dons, ni charme, ni personnalité. Il se sentit au contraire inculte, inutile, bref, un parfait bon à rien. Tout ce qu'il avait dans la vie, c'était son père qui le lui avait donné. Il n'avait jamais rien fait d'autre que de prendre. Il se dégoûtait profondément.»

Il y avait une telle amertume dans la voix de

Tom que Judith frissonna. Lucy, elle, ne le quittait pas des yeux.

« Alors il fit une fugue, continua Tom, ce qui est une façon de parler, car, à dix-huit ans, on est majeur, on ne peut plus fuguer. »

Il s'adressa directement à Judith.

« Et voilà pourquoi je suis devant vous. J'étais un fumiste. J'en ai brusquement pris conscience et j'ai voulu faire quelque chose pour y remédier avant qu'il ne soit trop tard. Je suis ici pour une autre raison, poursuivit-il après une brève hésitation. J'aime beaucoup Lucy, et je sais qu'elle est perturbée par ma présence, et aussi par le fait qu'elle ne sait plus où elle en est avec Tony. Ça vous semble peut-être bêtement romanesque, mais nous sommes certainement des milliers dans ce cas à travers le monde. »

Il regarda calmement Judith.

« Je ne veux que le bonheur de Lucy. Si vous pensez qu'il est préférable pour elle que je disparaisse, alors je m'en irai. Je le dis en toute sincérité. Je suis là parce que Lucy m'avait prévenu que vous seriez de retour cet après-midi. Je voulais vous rencontrer et vous parler. Voilà. »

Le désarroi et la souffrance se lisaient si clairement sur son visage que Judith en eut le cœur serré.

Tom Reynolds avait des qualités évidentes : il était fort, résolu et loyal, mais Lucy et lui étaient tous deux si jeunes... Ils se connaissaient depuis si peu de temps et ils étaient, elle s'en rendit compte, si absorbés l'un par l'autre que personne d'autre n'existait vraiment.

Elle se leva en soupirant, alluma les lampes et traversa la pièce. L'une des fenêtres donnait sur l'île où tout avait commencé.

«Le marchand d'arcs-en-ciel ne passera pas aujourd'hui, c'est sûr, commenta-t-elle en frissonnant. Quel temps! L'hiver approche. Il neigeait en Écosse, ajouta-t-elle machinalement.

— Judith?»

Lucy l'avait rejointe sans qu'elle s'en aperçoive. Elle lui prit le bras.

«Je suis désolée, tu sais, murmura-t-elle tout bas. Je ne voulais pas t'imposer ça. Je ne savais pas que Tom allait venir. Nous en avions déjà parlé, lui et moi. Nous avions besoin de ton avis. Mes parents ne comprendront pas. Ils vont être furieux. Tony sera malheureux. Tout le monde pensera que nous sommes devenus fous. Nous avons besoin de ton aide...

— Oui.»

Judith se retourna vers sa nièce et la regarda d'un air grave.

«Je sais. Le seul ennui, c'est que je ne sais pas si je dois vous l'apporter. Je ne suis pas sûre de vous approuver. Si nous vivions dans une plus grande ville, je vous conseillerais probablement de continuer à vous rencontrer et d'essayer d'y voir clair dans vos sentiments, mais ici...»

Elle soupira.

«...je me demande si c'est possible. Qu'une épingle tombe sur le lotissement et les commérages se déclenchent aussitôt jusqu'au port. Qu'une histoire d'amour prenne fin, et c'est tout juste si la presse locale n'en fait pas ses manchettes. Dès que les gens vous verront ensemble, poursuivit-elle d'un ton amer, ils se mettront à chuchoter, à jaser et à se moquer de vous. Ils ne vous parleront plus, mais vous serez le sujet de toutes leurs conversations.

«Combien de temps comptez-vous rester ici, Tom? D'après ce que vous dites, vous n'êtes pas là pour longtemps?

— Je ne partirai pas avant que nous sachions où nous en sommes, assura Tom, l'air préoccupé. Je n'ai jamais eu de véritables racines. Nous déménagions trop souvent. Je peux m'en faire ici aussi bien qu'ailleurs. Ce travail sur le chantier ne m'emballe pas vraiment, mais les types sont sympas, je suis bien payé, et j'ai encore dix-huit mois de travail assurés — assez pour clarifier les choses.

— Et si ça tourne mal?

— C'est un risque à courir. Jusqu'à présent, je n'ai jamais rien fait de sérieux. Il faut un début à tout, et je ne suis pas seul.»

Il sourit à Lucy qui lui passa les bras autour du cou.

«Bien sûr, c'est un engagement, poursuivit-il. Et théoriquement, nous sommes trop jeunes. Mais que faire? Nous séparer, partir et faire comme si rien ne s'était passé? Comme si nous avions rêvé? Et plus tard, quand nous serons vieux, grisonnants et blasés, nous regret-

114

terons chacun dans notre coin de ne pas avoir saisi la chance que nous apportait l'arc-en-ciel. C'est la pire chose à faire!

— D'accord, concéda Judith, mais vous, au moins, vous avez une certaine expérience. Lucy n'en a aucune, et quoi que vous en pensiez, l'amour n'est pas tout.

— Selon vous, je devrais partir, murmura Tom. C'est ce que vous êtes en train de me dire, n'est-ce pas?

— Non!»

C'était presque un cri. Stupéfaits, Tom et Judith regardèrent Lucy qui se dressait devant eux, furieuse et les poings serrés.

«Si tu pars, je pars aussi. Je le jure. J'en ai assez de cette ville et de l'espèce de domination qu'elle exerce sur la vie des gens qui sont tous enfermés dans leur coquille comme s'ils avaient peur de tout. J'en ai assez que tout soit propre, calme et prévisible, comme si le temps — ou la vie — n'existait pas.»

«Et voilà, pensa Judith avec tristesse, c'est bien ce que je pensais. Tom a trouvé ce qu'il cherche. Il ne doit pas partir. Mais Lucy?»

Tom s'employait à calmer Lucy. Judith hocha silencieusement la tête. Lucy était déjà très loin. Était-il possible de la rattraper? Judith se sentait incapable de répondre à cette question.

13

A la grande surprise de Lucy, le mois suivant se déroula sans anicroche pour les amoureux, qui réussirent à passer inaperçus. Au début, la situation lui parut difficile, voire insupportable. Il lui fallait souvent attendre que ses parents dorment pour déchiffrer en tremblant des billets froissés qui lui donnaient l'impression d'être une criminelle ourdissant de noires machinations.

Tony avait-il remarqué quelque chose? En tout cas, il n'en laissait rien paraître. Il continuait à sortir avec Lucy le mardi et le samedi et, chaque dimanche, il venait partager le déjeuner familial.

Lucy lui parlait, lui souriait, le laissait dresser des plans mais, quand il l'attirait à lui pour l'embrasser, la comédie lui pesait brusquement, et elle avait beaucoup de mal à jouer son rôle. Elle finit par se révolter.

«Cette situation ne peut plus durer», dit-elle un jour à Tom.

Ils s'étaient donné rendez-vous dans l'île, sur *leur* banc, par un froid glacial. C'était un mercredi après-midi, jour de congé de Lucy, et Tom, alarmé par son coup de téléphone de la veille, avait attrapé une grippe «diplomatique» de trois jours.

«Je sais, mon amour, je sais, répondit-il en la serrant dans ses bras, ce n'était pas une très bonne idée à l'origine. Mais à présent, je ne comprends pas pourquoi tu refuses de lui dire que tout est fini entre vous.

— Moi non plus.»

Elle leva les yeux vers lui en souriant.

«Je suis sans doute très lâche. C'est l'avis de Judith. Mais chaque fois que j'essaie de lui en parler, il me dit quelque chose de gentil qui me rappelle le passé, ou bien il change de sujet, ou bien encore papa entre dans la pièce et se met à lui parler sport. A ce propos, je ne m'étais jamais rendu compte à quel point je détestais le sport.»

Une fois de plus, elle s'avisa qu'elle ignorait tout de Tom.

«Et toi, est-ce que tu aimes le sport?

— Je ne sais pas. Cela n'a aucune importance à mes yeux. Je suis sorti quelque temps avec une gymnaste, une fille qui pouvait se contorsionner à son gré et prendre les positions les plus ridicules. Cela m'a un peu dégoûté du sport.»

Lucy pouffa comme une écolière.

«J'ai fait du tennis, poursuivit Tom, et à treize

117

ans je suis parti skier dans les Alpes. Mais je me suis fracturé la cheville et j'ai passé le reste de mes vacances à me promener en gondole dans Venise. Le professeur qui nous accompagnait m'en a été très reconnaissant. Comme il n'aimait pas non plus le ski et qu'il avait toujours eu envie de voir Venise avant qu'elle ne s'enfonce dans les eaux, il a laissé le reste de la classe aux soins de son assistant, et il m'a fait visiter la ville.»

Il lui donna un baiser.

«Tu sais que c'était la première fois que je mangeais des glaces italiennes? Les nôtres sont bonnes, mais, là-bas, le goût des glaces — comme celui des pizzas —, c'est quelque chose d'extraordinaire...

— Oh, Tom!»

Elle se blottit dans ses bras en soupirant tandis qu'une mouette solitaire planait dans le ciel gris.

«Que va-t-il nous arriver? Tu as tellement plus d'expérience que moi. Tu as vécu à Londres. Tu es allé à Venise. Tu as mangé de vraies glaces italiennes. Et moi, je n'ai rien fait. Rien. J'ai l'impression d'être une de ces héroïnes de romans historiques, qui s'étiolent en pleurnichant sur leur chaise longue et qui ont des vapeurs.

— Ne dis pas de bêtises...»

Il se pencha sur elle et l'embrassa passionnément.

«Tu es une chrysalide qui va se muer, d'un

jour à l'autre, en papillon. J'espère seulement que ce jour-là tu ne t'envoleras pas loin de moi...»

Sa voix était triste et résignée.

L'image de l'oisillon s'imposa brusquement à lui.

Elle se dégagea de son étreinte et le dévisagea, une main caressant sa joue.

«Et si cela se produisait, ce serait grave pour toi?»

Une note de mélancolie vibra dans sa voix. Tom se demanda si la jeune fille y avait déjà réfléchi et à quels rêves d'évasion exaltants elle s'abandonnait en secret.

«Oui.»

Il prit la main de Lucy dans la sienne : elle était bleue de froid.

«Je ne dis pas que j'en mourrais forcément, comprends-moi. Mais je serais sans doute très longtemps malheureux. Il faut que tu saches, Lucy, ajouta-t-il avec gravité, que tu m'as rendu très heureux. Maintenant, secouons-nous car j'ai l'impression de parler comme un vieux barbon. Il faut régler cette situation, ça devient intenable. Tu te sens coupable envers Tony, et moi je suis jaloux de lui. Sais-tu que les adultères finissent toujours par des divorces, dans ce pays?»

Lucy secoua la tête en essayant de rire pour alléger l'atmosphère.

Au-dessus d'eux, portée par une rafale de vent, une mouette esseulée poussa un cri rauque.

«C'est ce que nous faisons : nous vivons notre amour comme un adultère!»

Il hésita, le souffle coupé. Jaillissant par-dessus la digue, les embruns retombaient autour d'eux en une myriade d'arcs-en-ciel miniatures.

«Veux-tu que je parle à Tony ou à tes parents?»

Elle retira sa main et debout, très droite, contempla la mer qui éclaboussait les galets.

«Jamais. C'est à moi de le faire. Sinon je me mépriserai, et je ne pourrai plus me regarder en face.»

Sur le dos de ses mains crispées, les veines saillaient.

Il comprenait ce qu'elle voulait dire.

«Très bien, mais décide-toi vite. Je crois que nous avons peu de temps, dit-il en lui jetant un coup d'œil indéchiffrable.

— Je leur parlerai ce soir.»

Un navire, lumières clignotantes, franchit l'estuaire en direction du port. Dans la brume, ses contours évoquaient ces cercueils que les deux jeunes gens n'avaient vus que dans les films d'horreur.

Ils regagnèrent à pas lents le centre de la ville où la lumière rouge des lampadaires qu'on venait d'allumer virait à l'orange.

Tom l'embrassa une dernière fois.

«Nous nous verrons demain, au sommet de l'Old Knoll. Tu sais où m'appeler si tu as besoin de moi.

— Oui.»

Elle aurait voulu s'agripper à lui, l'étreindre, le garder contre elle.

«Et toi, si tu veux me laisser un message, tu appelles Judith à son hôtel. Tu sais où, n'est-ce pas?

— D'accord.»

Deux feuilles mortes filèrent dans un bruissement le long du trottoir.

«Ne te fais pas de souci.»

Tom lui caressa les cheveux. Il savait qu'il mettait sa vie sens dessus dessous, et une partie de lui-même le regrettait profondément.

«Ça ira.»

Elle ne voulait pas s'attarder : quelqu'un pourrait les apercevoir.

Elle s'éloigna rapidement, sans regarder en arrière, les talons de ses bottes claquant sur le béton. Le vent lui piquait les yeux et lui faisait monter des larmes.

Un bruit de pas lui fit croire que Tom la suivait, mais il s'accéléra bientôt de façon insolite. Non, ce n'était pas lui. Quelqu'un courait, sans doute pour rattraper un autobus ou un ami.

«Qui était ce type?»

La main de Tony sur son bras l'obligea à s'arrêter net et à se retourner.

«Je t'ai demandé qui c'était, répéta-t-il. C'est à cause de lui que tu es si bizarre ces derniers temps? C'est lui la raison de tes silences?»

Il la considérait d'un air menaçant, blanc de rage.

«Eh bien? dit-il entre ses dents. Il t'a embrassée : je l'ai vu. Dis-moi qui c'est.»

Grelottante et apeurée, Lucy claquait des dents. Tony, le doux Tony, en qui elle avait toute confiance, était hors de lui. Elle regarda autour d'elle : la rue était déserte.

«C'est quelqu'un que j'ai rencontré par hasard, répondit-elle, désemparée.

— Où? Quand? Depuis combien de temps sortez-vous ensemble?»

Pendant une seconde, elle crut qu'il allait la frapper, mais il baissa les mains, les enfouit dans les poches de sa canadienne et demeura devant elle, l'air sombre.

Elle rassembla son courage.

«Je l'ai rencontré il y a six semaines. Le lendemain de mon anniversaire.»

La chaîne d'or lui brûlait le cou.

«Tu veux dire que tu le vois depuis tout ce temps? Tu sortais déjà avec lui avant la soirée au restaurant?

— Non. Cela fait seulement quatre semaines que nous sortons ensemble. Personne ne le sait. Sauf Judith.»

Elle eut envie de s'enfuir à toutes jambes. Elle était incapable de maîtriser la situation. Si seulement elle pouvait se retrouver chez elle, assise bien confortablement devant la télé, aux côtés de son père qui feuilletait son journal et de sa mère qui préparait en riant les plateaux-repas...

«Je n'ai rien voulu de tout cela. Judith m'avait conseillé de tout te dire immédiatement. Je n'ai pas pu.»

Elle le regarda d'un air suppliant, remarquant

pour la première fois la naissance d'un double menton et la façon dont ses cheveux s'entêtaient à boucler au-dessus de ses oreilles, comme des accroche-cœurs.

«Je ne savais pas comment te le dire.

— Mais qui est-ce?»

La colère s'était dissipée. Tony était redevenu lui-même : un garçon de dix-huit ans et demi, vêtu d'une canadienne doublée de mouton et d'un pantalon gris, avec des chaussures de cuir noir.

«Il sera exactement le même à quarante ans, songea Lucy. Son double menton aura triplé, ses souliers seront en daim marron, sa voiture sera plus spacieuse et il dirigera le magasin.»

Cette perspective la fit frémir.

«Il s'appelle Tom Reynolds. Il travaille sur le lotissement.

— Comment? Un manœuvre?»

Il éclata de rire, et Lucy se souvint de la réaction de sa mère quand elle lui avait annoncé qu'elle aimerait travailler dans le jardin public.

«Un manœuvre? C'est le comble... Et qu'est-ce qu'un manœuvre peut bien avoir d'extraordinaire?

— Rien...»

Elle le regarda bien en face. Elle sentait la ville se resserrer autour d'elle, oppressante, une ville peuplée uniquement de garçons comme Tony et défendue par des portes chocolat...

«... sauf que je suis tombée amoureuse de lui.»

Elle aurait aimé faire un geste dramatique. Arracher sa chaîne d'or, la lui jeter aux pieds et disparaître dans la nuit.

« Tony, je suis vraiment désolée. Tout est ma faute, comme d'habitude. Avec moi, tout dépend de la lune, expliqua-t-elle en haussant les épaules. Je suppose que mes hormones ne fonctionnent pas encore très bien. »

C'était une plaisanterie à la Reynolds, et elle la regretta aussitôt.

« Qu'est-ce que tu me racontes ? »

Tony articulait avec difficulté. Il semblait changé en statue de pierre.

« Je crois que je suis amoureuse de lui. »

Elle vit une des mains de Tony sortir lentement de sa poche, s'immobiliser une seconde au-dessus de sa ceinture, comme indécise, puis l'épaule monta, le coude descendit et la main, encore tiède, s'abattit lourdement sur son visage.

Lucy encaissa le coup sans broncher. Elle méritait peut-être cette gifle, mais elle n'avait jamais pensé que Tony en arriverait à cette extrémité.

« Tu l'aimes ? »

Il cligna des yeux à la façon d'une chouette. Sa main retomba.

« Je crois et, même si je me trompe, Tony, ajouta-t-elle, ce qui est sûr, c'est que je ne t'aime plus. »

Elle se sentait incroyablement calme.

« Tout est fini entre nous. »

Tout en s'éloignant, elle songea que personne

ne l'avait mise en garde la veille de ses seize ans, que personne ne lui avait dit ce que c'était... Elle se sentait à la fois triste et légère. Elle avait une égale envie de pleurer et de danser.

Tony, immobile, la regarda disparaître dans l'obscurité.

Judith avait essayé de le prévenir, mais il ne l'avait pas crue.

Il remit les mains dans ses poches. Il était malheureux, il avait honte et il se sentait épouvantablement seul.

Il ne pouvait plus refuser d'y voir clair. Plus maintenant.

14

« *T*u lui as tout dit, n'est-ce pas?»

Trempée, les cheveux pendant comme des queues de rats et les bouts de ses bottes éraflés par sa course, Lucy dardait sur sa tante un regard furibond. La pluie et les larmes inondaient son visage, et une marque rouge était visible juste sous son œil droit.

«Oui, tout.»

Gênée, Judith, qui se sentait encore plus jeune et désarmée que sa nièce, se fit l'effet d'une hypocrite.

«Pourquoi? Tu avais promis de ne rien dire! Tout ce qu'on voulait, c'était un peu de temps. Juste un peu. C'était à moi, à moi seule, de mettre Tony au courant. Je lui devais une explication. Pourquoi n'es-tu pas restée en dehors de tout ça? Tom avait confiance en toi. Moi, j'avais confiance en toi. Toute ma vie, j'ai eu confiance en toi. Je te croyais mon amie, pas seulement ma tante.»

Les trente-cinq ans de Judith affrontèrent les seize ans de Lucy. Judith se sentit vieille et fanée. Elle savait qu'il n'y avait rien à répondre à une telle explosion de colère. Lucy n'accepterait ni excuses ni faux-fuyants. Elle se demandait pourquoi il faisait si sombre dans l'enfer qui était le sien.

«Pourquoi?»

Les seize ans de Lucy défièrent les trente-cinq ans de Judith. Comme tous ceux qui défendent ce qui leur est cher, elle contenait difficilement sa fureur.

«Je l'ignore.»

Judith ramassa son verre d'un geste gauche et passa une main sur son front.

«Tony est venu chez moi hier soir pour te demander. Il était inquiet. Moi aussi. Lucy, j'aime beaucoup Tom Reynolds. Je le trouve très sympathique, mais vous êtes beaucoup trop jeunes tous les deux.»

Elle se racla la gorge et ferma brièvement les paupières.

«Rien n'est plus éphémère qu'une attirance sexuelle, même violente. Un jour, il rencontrera quelqu'un d'autre, plus jeune, plus jolie, plus dynamique et... hop!»

Elle fit claquer ses doigts.

«Tu resteras toute seule à compter tes cheveux gris et à te demander pourquoi ça a mal tourné...

Oh! je ne sais pas vraiment pourquoi j'ai parlé à Tony.»

Elle se détourna, la démarche incertaine.

«Par jalousie, peut-être.»

Elle termina son verre avec un rire étranglé.

«Tom est très séduisant, Lucy, tu sais.

— Et toi complètement ivre.»

Le mépris submergea la jeune fille. Elle eut envie de frapper Judith, de lui arracher son verre et de la secouer jusqu'à ce qu'elle retrouve un semblant de bon sens.

«C'est possible.»

Judith rejeta la tête en arrière. Les deux femmes se dévisagèrent froidement. Rien ne subsistait plus de leur vieille affection.

«Il se peut que j'aie agi comme une idiote, mais Tom doit arriver d'un instant à l'autre. C'est le moment de t'expliquer avec lui. Il m'a téléphoné en plein désarroi. Il n'a pas tes certitudes. Je lui ai dit ce que j'avais fait. Cela ne lui plaît pas plus qu'à toi, mais il avait réclamé mon aide, il y a quelques jours... Il voulait que j'essaie d'arranger les choses. J'ai cru bien faire.»

Judith, qui voyait double, sentit son sang-froid l'abandonner. Elle repoussa de toutes ses forces les images qui s'imposaient à elle.

«C'est complètement stupide! rugit Lucy. Il ne t'est pas venu à l'idée que Tony partirait à notre recherche et qu'il serait très malheureux en nous voyant?

— Je n'imaginais pas que les choses se passeraient ainsi. Si tu avais vu sa tête, l'expression de ses yeux surtout. On aurait dit un chien battu.

— Je voulais lui parler ce soir. Je voulais essayer de lui expliquer mes sentiments et pas seulement au sujet de Tom.»

Elle poussa un soupir et regarda furtivement Judith, assise, la tête dans ses mains.

«Je suppose que tu ne t'es pas arrêtée là et que mes parents sont aussi au courant?

— J'ai dit à ton père que tu avais rencontré quelqu'un d'autre et que je me faisais du souci pour toi.

— De mieux en mieux. Tu as fait le maximum, quoi. Je ne comprends toujours pas tes raisons. Tu as toujours été de mon côté, tout en restant discrète. Je pouvais te parler librement, te dire ce que je ne pouvais confier à personne d'autre, même pas à Tony, et maintenant, tout est fini, n'est-ce pas?»

Il y eut un silence, troublé seulement par le ronflement étouffé du poêle et les miaulements de Bulle qui pourchassait les merles dans son sommeil, les pattes agitées de petits sursauts convulsifs.

L'ivresse se dissipait, laissant Judith frissonnante et douloureusement lasse.

«Oui, dit-elle avec douceur, c'est fini. Mais si c'était en mon pouvoir de tout changer, crois bien que je ne demanderais pas mieux. Je pense que c'est la jalousie qui m'a poussée. Tom et toi, Lucy, vous réussirez probablement votre vie. Vous partirez ensemble à la conquête du monde, car je n'imagine pas Tom passant sa vie ici. Vous laisserez cette ville et, contrairement à moi, vous n'y reviendrez jamais, sauf par curiosité ou par amour filial. Je vous envie, tu comprends? Je vous envie, car vous formerez un couple pour rire, pleurer et tout partager, de telle façon que les épreuves ne vous atteindront pas vraiment et que le bonheur sera aussi enivrant que le champagne. Je suis partie une fois...»

Elle soupira, le regard posé sur la fenêtre obscure.

«... Cela a été un échec. Je croyais à tort qu'il était l'homme le plus merveilleux du monde. En vérité, il était jeune, bête et totalement égoïste. Il a filé ensuite avec la serveuse grecque du café voisin, en me laissant un deux-pièces humide dans un sous-sol et une montagne de factures impayées. J'ai tout vendu pour rembourser les dettes, et je suis rentrée au pays parce que je ne savais où aller. Je n'ai plus jamais fait confiance à personne depuis.

«C'était il y a dix ans. J'en avais vingt-cinq. Tu en avais six. J'ai perdu, je le sais, et je me déteste pour ma faiblesse et ma stupidité. Tom et toi, vous allez partir ensemble. Peut-être pas cette année ni l'année prochaine, mais vous allez partir.

— Je n'en suis pas aussi sûr», dit Tom.

Aucune d'elles ne l'avait entendu entrer. Refermant la porte sans bruit, il secoua ses cheveux mouillés et sourit à Lucy.

Elle courut à travers la pièce pour se jeter dans ses bras et y cacher sa peine.

«Tu sais ce qui est arrivé?» murmura-t-elle en appuyant la tête contre sa poitrine.

Tom la serra contre lui.

«En partie, et je devine le reste.»

Il regarda Judith, très pâle et brusquement vieillie.

«Il ne fallait pas en parler. Ni à Tony. Ni aux parents. Vous avez commis une erreur, mais on n'y peut rien. Les Indiens d'Amérique ont une danse rituelle qui est censée exorciser les fantômes. C'est leur façon de se convaincre de l'inutilité et de la vanité des souvenirs. Judith a exorcisé les siens. Nous aussi peut-être... Il y a quand même un avantage à tout cela : maintenant, la situation est claire, et nous n'avons plus à nous cacher.

— Je veux partir d'ici, Tom, dit Lucy dans un chuchotement passionné. Allons-nous-en de cette ville. Je veux aller ailleurs et faire autre chose. Je ne veux pas rester en cage ici, et oublier les arcs-en-ciel. Dis, pourquoi ne partons-nous pas?»

A la surprise de Judith, Tom secoua la tête et repoussa Lucy avec douceur.

«Il est encore trop tôt. Ce serait une fuite. Tu as à peine seize ans, et je n'en ai que dix-neuf. La seule chose dont nous soyons certains, c'est que nous nous aimons, mais nous devons affronter le quotidien avant de savoir si notre histoire a une chance de durer. Là-bas (comme Judith un peu plus tôt, il désigna la fenêtre sombre), rien n'est extraordinaire) ni même différent. Il y a seulement d'autres villes, avec d'autres gens qui por-

131

tent d'autres noms. Même Venise n'est pas aussi fabuleuse que tu te l'imagines et personne ne passe sa vie à déguster des glaces italiennes.»

Judith, qui se sentait de trop, se glissa hors de la pièce. Une fois dans sa chambre, elle appuya son front contre la vitre et contempla la nuit d'un regard aveugle.

Qu'allait-il arriver maintenant? Elle n'en savait rien. Elle ne savait qu'une chose : son intervention intempestive avait déclenché une mécanique que Tom Reynolds lui-même, malgré son énergie et son intelligence, ne pourrait arrêter.

15

*L*a nuit tombait lorsque Tom raccompagna Lucy chez elle.

« Je ne veux pas entrer avec toi, murmura-t-il en lui pressant la main. Ton père va vouloir te parler. Ta mère aussi probablement. Ma présence vous gênerait et créerait une tension supplémentaire, mais ne te tourmente pas. Nous nous verrons dans l'île demain. Prends un jour de congé. Nous irons à la recherche de notre arc-en-ciel. »

Il obligea Lucy à le regarder.

« Dis-toi bien, face de clown, que tout cela n'est pas grave et qu'il faut du temps pour voir les choses sous leur vrai jour. Tout s'arrangera.

— Tu as raison. »

Les lèvres de Lucy tremblaient.

« ...mais Tom, c'est vrai que je veux partir d'ici. Je ne peux pas rester dans cette ville. Il ne s'y passe jamais rien. J'étouffe.

— On verra. »

Leur baiser se fit passionné, et elle s'accrocha à lui de telle façon que leurs corps se confondirent. Il la repoussa doucement vers l'entrée du jardin.

« A demain, Lucy. Ne t'inquiète pas. Tout ira bien. »

En entendant le déclic de la porte, Jeffrey Atkinson, qui lisait dans la salle à manger, leva les yeux de son journal. Quand Judith lui avait téléphoné quelques heures plus tôt, d'une voix hystérique, il avait pris la nouvelle à la légère. Ne savait-elle pas qu'une fille de seize ans passait son temps à tomber amoureuse ? Judith ferait mieux de s'occuper de ses propres affaires. D'ailleurs, si Lucy avait décidé que Tony n'était plus l'homme de sa vie, cela ne regardait qu'elle seule. Pourtant, l'inquiétude s'était insinuée en lui.

Selon Judith, le nouveau petit ami de Lucy était plus âgé que Tony, plus « mûr » — c'était son expression — et il venait d'ailleurs. De Londres. Une espèce de vagabond, en somme.

Il ne voulait rien de tel pour sa fille. Il connaissait trop bien ce genre de type. Ils étaient nombreux comme lui à venir l'été, chevelus et grattant leur guitare. Ils dormaient à la belle étoile, vendaient de la drogue et croyaient que la vie était faite pour s'amuser.

Si Lucy était tombée amoureuse de l'un d'eux...

« Bonsoir, papa. »

Elle enleva son manteau humide d'un mouvement las, le posa sur le dossier d'une chaise et s'adossa au radiateur le plus proche comme pour ne rien perdre de sa chaleur.

«Où est maman?

— Couchée. Elle avait la migraine.»

Il feuilleta une pile de bordereaux.

«Tu travailles trop, papa.»

Il se rendit compte qu'elle s'efforçait désespérément de parler d'une voix normale, désinvolte. Elle désigna la table d'un signe de tête.

«Pourquoi ne laisses-tu pas un de tes assistants faire tout ça?

— Je le pourrais, mais je tiens absolument à vérifier ces comptes moi-même avant de les laisser se défouler avec leurs calculatrices. Et puis je voulais te voir.»

Il ôta ses lunettes et se frotta l'arête du nez.

«Judith m'a téléphoné à ton sujet.»

Il se leva en s'étirant et se dirigea vers la cuisine pour préparer le café. Lucy le suivit.

«Je sais. Je sors de chez elle à l'instant.»

Il mit la bouilloire sur le feu et ouvrit l'un des placards pour chercher du sucre, tandis que Lucy racontait.

«J'ai rencontré Tony. Enfin, nous nous sommes heurtés, plutôt. Il a vu Tom avec moi. Tom, c'est l'autre garçon. On a eu une violente dispute, il m'a frappée. Je lui ai dit que c'était fini entre nous. Voilà. Je suis allée ensuite chez Judith parce que j'étais en colère contre elle. J'aurais voulu tout expliquer à Tony moi-même, tu comprends? Et à vous aussi. Judith n'avait pas le droit d'intervenir. Elle a eu tort.

— Tu n'avais pas non plus le droit de la mêler à cette affaire.»

Jeffrey versa un peu de lait dans les deux tasses de café bouillant.

«Autant que je puisse en juger, il s'agit d'une tempête dans une tasse de thé. C'est ridicule. Qui est ce Tom? Où l'as-tu rencontré?»

Lucy raconta toute l'histoire. Les mots se bousculaient dans sa bouche comme elle tentait de lui dépeindre leur rencontre dans l'île, l'ascension à l'Old Knoll et la promenade sur le lotissement.

«Il te plaira, je crois. Il est différent des autres. Plus intelligent. Il sait toutes sortes de choses dont je n'ai jamais entendu parler.»

Elle prit la tasse qu'il lui tendait et le regarda d'un air suppliant.

«Et malgré tout ça, il travaille comme manœuvre sur le nouveau lotissement. Comment expliques-tu ça? Avoue que c'est un peu invraisemblable, Lucy.»

Il ne voulait pas jouer les pères nobles, mais l'inquiétude ne l'abandonnait pas.

«Il ne voulait plus de son ancienne vie, c'est tout.»

Elle haussa les épaules, comme s'il s'agissait d'un comportement très banal.

«Il a sauté dans un train et il est descendu ici. Quand il a appris qu'on recherchait des ouvriers sur le chantier, il s'est présenté et il a été engagé.

— Combien de temps a-t-il l'intention de rester ? Je suppose que tu le sais aussi ? »

Assis à la table du petit déjeuner, Jeffrey observait attentivement sa fille. Elle était rouge comme si elle avait la fièvre et une vitalité irrépressible se dégageait d'elle.

« Non, répondit-elle avec franchise. Je ne le sais pas, mais j'ai autre chose à te dire, papa, qui ne concerne pas véritablement Tom, si tu vois ce que je veux dire...

— Pas vraiment. Tu ferais mieux de t'expliquer clairement. »

Il remua son café à l'aide du stylo à bille qui dépassait de sa poche.

« Maman et toi, vous n'avez jamais quitté la région, sauf pour aller à l'université ou à l'armée. Je sais que vous vous plaisez beaucoup ici et que vous auriez aimé que je me marie et que je vive comme vous. »

Jeffrey Atkinson sentit son estomac se nouer. Un soupçon le glaça. Il dévisagea sa fille avec froideur.

« Continue, dit-il.

— Je ne veux pas épouser Tony, et je ne veux pas non plus rester ici. Je ne peux pas travailler toute ma vie dans un supermarché, et il est impossible de trouver un emploi convenable ici. Je veux partir. »

Hésitante, elle s'assit en face de lui.

« J'ai envie d'aller à Londres. Ce n'est pas très loin... Je veux seulement voir autre chose et faire quelque chose de ma vie. Je ne veux pas

137

finir comme Judith, prendre des airs affairés et essayer de me convaincre que je suis heureuse. Je ne veux pas non plus ressembler à maman, m'occuper uniquement de la maison, du jardin et des clubs pour jeunes. »

Elle s'interrompit, le regard grave.

« Je veux plus, beaucoup plus, pendant que je suis encore jeune.

— Et Tom Reynolds est inclus dans ce "plus"? C'est lui qui t'a soufflé cette idée, n'est-ce pas? Eh bien! je crois que je n'ai aucune sympathie ni pour lui ni pour ses idées. »

Une colère déraisonnable s'empara de lui. Six semaines plus tôt, il aurait juré que sa fille était heureuse et comblée et son avenir assuré. Et voilà qu'elle parlait comme ces filles à problèmes dont les journaux féminins de Netta publiaient les lettres. Elle se métamorphosait devant ses yeux et il détestait ce qu'il voyait.

« Tom n'a rien à voir là-dedans. C'est tout le contraire. Il a passé les deux dernières heures à tenter de me convaincre de rester ici sous prétexte que je n'ai que seize ans et que je ne connais rien à rien. Mais (son père lui fit signe de baisser la voix) ce n'est pas en empilant des boîtes de haricots et des petits pots pour bébés sur des étagères que je vais apprendre la vie. » Elle se pencha vers lui. « Papa, tu te rends compte que je ne suis jamais allée au théâtre? Que je n'ai jamais pris un taxi? Que je ne sais rien faire par moi-même? Maman et la machine à laver s'occupent de mes vêtements. Mes repas sont préparés, sauf quand je vais chez Judith, et tu me conduis où je veux avec ta voiture. J'ai l'impression de vivre dans du coton.

— C'est une vie que beaucoup de gens t'envieraient, Lucy.»

Ils avaient toujours été très proches l'un de l'autre, comme c'est souvent le cas entre père et fille, et il sentait cette intimité disparaître et faire place au désarroi.

«Tu n'as que seize ans... Vivre seule dans le monde extérieur, gagner sa vie, assumer son entretien, cela n'a rien d'enchanteur. Il faut affronter la solitude, la frustration, les tracas et parfois même la peur. Beaucoup de gens plus âgés que toi ne tiennent pas le coup. Qu'est-ce qui te prouve que tu es si différente d'eux?

— Rien, bredouilla-t-elle, morose, mais j'aimerais essayer.»

Un coup d'œil à sa montre lui apprit qu'il était fort tard. Et demain, il devait se lever tôt.

«Écoute, Lucy.»

Elle se rongeait les ongles. Pour la première fois depuis des années.

«On reparlera de ton départ quand tu seras un peu plus âgée, mais amène-nous ton fameux Tom, un de ces soirs. Il semble qu'il ait été le catalyseur de pas mal de choses et j'aimerais bien en savoir un peu plus long sur lui. Maintenant, sois gentille...»

Il était conscient du ton protecteur sur lequel il lui parlait mais ne pouvait s'en empêcher.

« Range un peu la cuisine et va dormir. Bonne nuit. »

Il se pencha pour lui ébouriffer les cheveux et sortit rapidement de la pièce. Elle entendit des froissements de papier, le cliquetis sec du fermoir de son porte-documents et le son étouffé de ses pas dans l'escalier.

Elle demeura longtemps assise à table, fixant le grain irrégulier du bois et s'efforçant de déchiffrer un message dans le dessin complexe des veines. Puis elle se leva d'un bond, fit la vaisselle et éteignit les lumières.

La maison était silencieuse. Elle demeura quelques secondes sur le pas de la porte à regarder la pluie tomber sur la ville.

Dehors, tout était calme et sombre. La ville dormait, lovée sur elle-même, sûre de passer une excellente nuit et de se réveiller en pleine forme au petit matin.

« J'en ai marre, chuchota-t-elle en touchant le bleu que Tony lui avait fait. Marre. Marre. Marre. »

Elle avait envie de pleurer, de crier, et elle ne savait pas pourquoi. Et surtout elle avait envie de sentir les bras de Tom autour d'elle.

16

*L*a visite de Tom ne s'annonçait guère sous les meilleurs auspices.

Après le choc causé par la «disparition» de Tony, Netta était fermement décidée à détester son successeur quel qu'il soit. Il avait intérêt, pensait-elle, à se montrer intimidé et respectueux.

Jeffrey, aussi tendu que son épouse, déboucha des bouteilles de vin, s'affaira autour des plus beaux verres et se plaignit de ce que Lucy n'aidait pas suffisamment sa mère à la cuisine.

«Pour l'amour du ciel, papa, ce n'est pas le prince Andrew! Pourquoi ne pas déjeuner simplement comme chaque dimanche? Qu'est-ce que cela veut dire?»

Elle disposa bruyamment les assiettes sur la table et jeta un regard furieux et révolté à son père.

«On va tous être gênés.»

Mais Tom, habillé pauvrement mais proprement d'un jeans et d'un chandail, ne parut pas impressionné. Il sonna à treize heures précises, embrassa Lucy sur la joue, offrit un bouquet de chrysanthèmes à une Netta réticente et serra vigoureusement la main de Jeffrey.

« Je m'en veux de vous causer des problèmes, dit-il avec aisance en s'asseyant près de Lucy sur le sofa et en acceptant un verre de cherry. Ce n'était pas du tout mon intention ni celle de Lucy. »

Netta lui sourit malgré elle. Tony ne lui avait jamais apporté de fleurs depuis qu'elle le connaissait. Seul Jeffrey y pensait parfois pour leur anniversaire de mariage. Tom Reynolds était soit un intrigant soit un gentleman-né.

« Ce sont des choses qui arrivent, s'entendit-elle répondre au grand étonnement de Lucy. Vous êtes si jeunes tous les deux que cela vous arrivera bien d'autres fois sans doute avant le mariage. »

Tom sentit Lucy se crisper. Il lui prit la main subrepticement et la rassura d'une pression.

« Lucy nous a dit que vous étiez londonien ? »

Jeffrey emplit les verres à ras bord.

« C'est vrai.

— ... et aussi que vous suiviez des cours d'art dramatique ? »

Netta disposa les chrysanthèmes dans un vase de porcelaine blanche.

« Dans une section de "l'Actor's Studio". En fait, je n'y ai pas appris grand-chose, si ce n'est à ne pas me prendre les pieds dans le tapis. Je n'ai d'ailleurs aucune envie de brûler les planches. Je préférerais enseigner. J'aimerais aller dans une bonne université et obtenir un diplôme d'art dramatique mais pas avant un an ou deux. Je ne me sens pas moralement prêt à me fixer, ajouta-t-il en souriant, tandis que Netta sentait son antipathie fondre. Je ne crois pas qu'on le soit à dix-neuf ans, reprit-t-il d'un ton pensif. C'est une des absurdités de notre système d'éducation. On vous demande de choisir une carrière quand vous n'êtes pas encore capable de choisir correctement une paire de chaussettes.»

Lucy lui jeta un regard de côté, soucieuse. S'il essayait de faire bonne impression, c'était réussi. S'il disait vraiment ce qu'il pensait, c'était à elle de s'inquiéter. Elle n'aimait pas du tout l'idée qu'elle était incapable de choisir ses chaussettes, son petit ami ou sa vie... Un mouvement de colère imperceptible lui fit retirer sa main de la sienne.

Netta s'empressa d'aller surveiller la soupe, et Jeffrey se mit à parler du nouveau lotissement. Tom lui répondit avec force chiffres et les deux hommes se lancèrent dans une discussion sur la topographie et la nature du sous-sol.

Pensive, Lucy fit quelques pas dans la salle à manger et chaparda un croûton à l'ail. Elle contemplait le mur quand sa mère entra, tout affairée, le sang au visage mais l'air heureux.

«C'est un charmeur, ce garçon», constata-t-elle.

Elle posa la louche et les cuillères sur la table et rectifia la position des dessous de plats.

« Rien d'étonnant si tu en es tombée amoureuse, mais quel gâchis que de perdre sa vie sur un terrain en construction ! S'il devait rester ici, ton père pourrait sûrement lui trouver quelque chose de mieux, dans un bureau par exemple...

— Oh, maman ! »

Lucy était lasse jusqu'à l'écœurement de cette sollicitude douillette. Elle se sentait devenir claustrophobe.

« Tom fait ce qu'il a envie de faire. Ne l'oblige pas à faire autre chose, sous le prétexte que ce serait bon pour lui. »

Netta observa sa fille.

« Je vois mal quelqu'un obliger ce garçon à agir contre sa volonté. Il me paraît avoir des idées bien arrêtées. Maintenant, va leur dire que le repas est prêt et que j'apporte le potage. Il aime le potage au moins ?

— Je n'en ai aucune idée, répondit Lucy d'un ton piqué. Je sais seulement qu'il adore les sandwiches à la sardine, si cela t'intéresse. »

Le déjeuner s'éternisa. La conversation fut très animée, et au moment du café, les parents de Lucy traitaient Tom comme s'ils l'avaient connu depuis toujours.

« Ne prends pas cet air sombre et tourmenté, lui chuchota-t-il malicieusement dès qu'ils se retrouvèrent seuls au salon. Je ne suis pas vraiment moi-même, tu sais, mais des relations ami-

144

cales avec tes parents nous faciliteront grandement les choses. Tu ne crois pas?

— Tu as sans doute raison.»

Elle se sentait lasse, sans ressort, comme si tout lui était devenu indifférent.

«Tout ça me paraît un peu irréel... C'est ta façon d'exorciser les fantômes?

— Non.»

Il lui effleura le bout du nez et l'embrassa rapidement.

«Plaire à tes parents n'a rien d'irréel ou d'inutile. Ce sont des gens qui t'aiment beaucoup. Moi aussi. Alors, arrête de bouder, et embrasse-moi, sinon tu n'auras pas d'arc-en-ciel pour Noël.»

Un sourire illumina le visage de Lucy. Tom en eut le cœur si chaviré que Jeffrey, revenant avec le porto et le cognac, dut tousser poliment pour signaler sa présence.

Tom rougit violemment.

«Je vous prie de nous excuser. Nous sommes très impolis.

— C'est vrai!»

Jeffrey approuva en riant et lui donna une tape sur l'épaule.

«Mais je suppose que vous ne passez pas votre temps à parler des problèmes d'affaissement des sols. Ne prenez pas cet air confus.»

Il montra les deux carafes, mais Tom refusa les liqueurs, et Lucy se précipita vers la salle de bains du premier étage. Elle tremblait inexplicablement, et essaya de se calmer en passant de l'eau sur son visage. Quelque part, quelque chose n'allait pas, mais quoi? Elle aurait été incapable de le dire.

Tom s'était immiscé dans la famille aussi facilement qu'une clé dans une serrure. Il avait pris le ton de la maison, comme un caméléon prend les couleurs du décor.

Ce n'était plus le Tom qu'elle avait connu dans l'île.

Ce n'était plus le Tom de l'Old Knoll. Ni le Tom du lotissement.

Pour la première fois depuis leur rencontre, c'était un inconnu, avec un visage étranger qui, à sa façon, était tout aussi banal que Tony. Bien sûr, elle l'aimait encore, mais lui plaisait-il toujours? Elle n'en était vraiment pas sûre.

Quand ils partirent se promener un peu plus tard, ils parlèrent très peu. Tom semblait deviner les pensées de Lucy. Sur le pont, il passa un bras autour de ses épaules et lui montra l'estuaire grisâtre en face d'eux.

«Il y a là des douzaines d'autres couples dans la même situation que nous, dit-il lentement. Le premier repas dominical avec les parents, la promenade à deux et l'inquiétude, et le silence... Je me demande ce qu'ils deviendront. Crois-tu qu'ils garderont toute leur vie l'arc-en-ciel du bonheur ou qu'ils le perdront avec leur amour?»

Elle le regarda et vit sur son visage une tristesse incompréhensible.

Elle ignorait ce qu'il désirait au fond de son

cœur et ne savait même pas ce qu'il y avait dans le sien.

«Si je pouvais attraper un arc-en-ciel, t'en mettre un petit morceau dans une boîte que tu pourrais ouvrir quand tu te sentirais triste ou malheureuse, je le ferais tout de suite, Lucy. Tu me crois, n'est-ce pas? Si je pouvais t'offrir une vie de bonheur, comme un cadeau avec un beau ruban, je le ferais aussi. Seulement, voilà, je ne peux pas. Je ne suis qu'un type comme il y en a beaucoup, arrivé dans ta vie à un moment exceptionnel, et je ne peux pas te donner tout ce que tu désires, ni t'aider à exprimer ce qui bouillonne en toi. Je n'ai rien d'extraordinaire. Essaie de me voir tel que je suis, mais souviens-toi que je t'ai aimée comme je n'ai jamais aimé personne auparavant. C'est ça, l'essentiel.»

Il lui caressa la joue d'un doigt humide. Ce fut un contact fugitif, comme celui de ces toiles d'araignées qu'elle frôlait par mégarde dans son jardin. Elle se sentit vide et maussade.

«On ne peut pas attraper un arc-en-ciel et l'empaqueter, je sais cela. Il faut s'accrocher à celui qu'on a eu la chance de trouver et c'est pour cette raison que je veux partir, Tom. Avec toi. Je ne veux pas perdre mon arc-en-ciel. Il m'est trop précieux et je ne veux pas te perdre non plus.

— Mais moi, je n'ai aucune importance, Lucy. Je ne suis pas différent des autres. C'est toi qui l'es. Je l'ai remarqué dès le premier jour dans l'île. La vie brûle en toi comme une flamme, et

147

je n'avais jamais vu ça auparavant. C'est cette intensité qui m'a attiré vers toi. On sent en toi une force aussi puissante qu'une éruption volcanique. Moi, je n'ai rien de tel. Mes couleurs sont plutôt fades, un peu ternies, comme un arc-en-ciel qui s'efface.»

Une brusque rafale de pluie balaya le ciel rougeoyant et les vagues se brouillèrent devant ses yeux. Lucy n'avait même pas entendu la plainte du vent.

«L'ennui, dit-il en souriant et en la serrant contre lui, c'est que je ne peux même pas décrire tes couleurs. Elles sont encore en formation dans ton brasier intérieur.»

17

*L*e colis arriva le mardi. La mère de Lucy le lui tendit silencieusement quand elle revint de son travail.

Il était enveloppé de papier brun, ficelé et scellé à la cire. Lucy le porta soigneusement dans sa chambre.

A l'intérieur, elle découvrit un joli coquillage rond, peint avec délicatesse de toutes les couleurs de l'arc-en-ciel, du rouge au violet.

Elle s'assit sur le bord de son lit pour mieux l'examiner, puis elle ouvrit le billet.

Si je pouvais effacer le souvenir des mauvais jours, je le ferais tout de suite, Lucy, mais cela ne m'est pas possible. Pas encore. Peut-être ne s'effaceront-ils jamais. Peut-être suis-je trop renfermé sur moi-même, trop solitaire... C'est pourquoi je pars, Lucy. Je ne veux pas te rendre comme moi, et je ne veux pas non plus que tu deviennes comme Judith, une femme seule avec des fantô-

mes à exorciser. Je crois que cela pourrait t'arriver en vivant avec moi, sans que ni l'un ni l'autre ne le veuille.

Je te laisse un bout d'arc-en-ciel. Le seul que j'aie pu trouver, car je ne veux pas que tu sois triste à cause de moi. Je t'ai aimée de tout mon cœur. Peut-être bien que je t'aimerai toujours. Souviens-toi seulement, chaque fois qu'un arc-en-ciel illuminera ta vie, que tu dois profiter pleinement de ce bonheur. Dis-toi que j'en serai toujours heureux pour toi.

Lucy contempla si longtemps le coquillage que ses couleurs finirent par se confondre. Alors, comme une aveugle, avec d'infinies précautions, elle remit le coquillage et la lettre dans la boîte et la glissa sous ses cartes d'anniversaire.

*L*es semaines suivantes s'écoulèrent comme dans un brouillard. Puis vint l'hiver. Noël passa et le souffle du printemps réveilla les perce-neige et les aconits du jardin public.

Les après-midi s'éclaircirent et Lucy, assise au sommet de l'Old Knoll, regardait les jours se succéder.

Physiquement, elle s'était épanouie.

«Elle s'affine», disait sa mère. Elle semblait subitement plus grande et plus mince. Les garçons sifflaient sur son passage et les filles plus jeunes lui jetaient des regards envieux. Personne ne semblait remarquer le calme de ses yeux.

En soupirant, Lucy effleura les rameaux épineux de l'aubépine.

Ils avaient tous été si gentils avec elle...

Netta s'était montrée calme et compréhensive, pour la première fois, la mère et la fille s'étaient senties étroitement unies par une sorte de camaraderie qui les protégeait toutes deux.

Judith s'était discrètement tenue à l'écart. Comme pour s'excuser. Bulle reculait ainsi lorsqu'on la réprimandait pour avoir pris un oiseau.

Pendant ces jours sombres, Tony était — brièvement — revenu, oubliant sa peine devant celle de la jeune fille.

Jeffrey Atkinson avait semé une nouvelle pelouse tout en émettant des grognements désapprobateurs dont personne ne comprenait le sens. Pour la protéger des oiseaux, il avait suspendu, à un fil de nylon noir, des capsules de bouteilles qui zigzaguaient et tintinnabulaient au vent.

Tout était demeuré immuable. Le jour se levait, le soleil brillait, la brume venait avec les marées et les étoiles riaient dans le ciel.

Mais il n'y avait plus d'arc-en-ciel.

En soupirant de nouveau, Lucy se mit debout, s'épousseta et tenta d'oublier la jeune fille qui avait gravi l'Old Knoll, il y avait si longtemps, un dimanche matin.

Elles étaient maintenant à des années-lumière l'une de l'autre, et la nouvelle Lucy souriait presque de l'ancienne, celle qui s'inquiétait de Miranda et de Perséphone et mangeait des chocolats à la liqueur.

Elle traversa le parc en flânant et, après un moment d'hésitation devant la grille, se dirigea vers le port.

Elle remontait le temps, saisissant au vol les

moments qu'elle voulait garder dans ses souvenirs. Tout en contemplant l'eau agitée, elle se demanda dans quelle mesure ces moments-là étaient réels et encore émouvants ? Déjà, elle ne sentait presque plus la douleur. Les blessures se cicatrisent-elles donc si vite ?

Elle s'accouda au mur et ferma les yeux.

Elle n'avait pas reçu de nouvelles de Tom. Elle n'en attendait d'ailleurs aucune.

Judith avait tenté de la rassurer. Si Tom était parti, c'était qu'il l'aimait trop et qu'il ne voulait pas d'un engagement aussi total. L'explication laissa Lucy impassible. Elle savait déjà cela dans son désert.

«Il reviendra, affirma Judith en souriant. Attends un peu. Un de ces jours, tu te promèneras sur la plage, perdue dans tes pensées, et quelqu'un surgira de l'abri et t'appellera de nouveau sa sirène.»

Hochant la tête, Lucy eut un demi-sourire. Elle se gardait bien de croire sa tante.

Son père l'emmena prendre un verre en ville. Il lui dit d'un ton bourru qu'il ferait n'importe quoi pour elle. Il lui suffisait de le demander.

Seule, Netta fit preuve de sens pratique.

«Fais quelque chose de positif, conseilla-t-elle. Peu importe quoi. Apprends. Intéresse-toi à quelque chose. Ton chagrin passera et pourra même devenir une expérience enrichissante si tu sais le dominer.»

Lucy s'inscrivit donc aux cours du soir, se remit à la dactylographie, acquit des notions de secrétariat, apprit à utiliser une machine de traitement de textes et s'initia même aux rudiments de la comptabilité.

«Hé là!»

Quelqu'un lui tapa sur l'épaule. Elle sursauta, reprise par ses vieilles inquiétudes.

«Je voulais vous demander, vous aviez trouvé le jeune Tom?»

Lucy reconnut Dave, le contremaître du nouveau lotissement.

«Oui, acquiesça-t-elle. Je l'avais trouvé.

— C'est curieux, cette façon de partir, n'est-ce pas? Dommage. Tom était un bon ouvrier, il avait l'esprit vif. On jouait aux échecs ensemble pendant la pause de midi, quand il n'avait pas besoin d'être tout seul. C'est la première fois que je trouvais quelqu'un pour jouer aux échecs avec moi sur le chantier. Enfin... Je suis content de vous voir. Vous avez l'air en pleine forme. Faites attention où vous mettez les pieds.»

Il lui donna une tape affectueuse, puis s'éloigna à grands pas, tout en sifflotant gaiement, les mains dans les poches de sa salopette.

Pour la première fois depuis longtemps, Lucy sentit les larmes lui nouer la gorge. Elle eut envie de courir après lui, de lui parler du champ de Kickapoo et de lui demander dans quelle partie de l'île se trouvait sa maison, au cas où elle aurait besoin de parler à quelqu'un... Elle ébaucha un geste pour le retenir, mais il avait déjà disparu derrière les étals des poissonniers, dans le dédale des vieilles ruelles.

«Je n'ai jamais su que Tom savait jouer aux échecs, pensa-t-elle en se dirigeant vers la maison. En fait, je n'ai presque rien su de lui.»

De nouveau, sa gorge se serra.

DEMAIN

*J*e prendrai le train pour Londres à la fin de la semaine. Je vais vivre à Notting Hill, dans un foyer fréquenté par des fonctionnaires et des employés de la B.B.C.

Quelle va être ma vie là-bas? Je l'ignore. Elle sera peut-être aussi étriquée qu'ici.

Mes parents ne sont pas enthousiastes. Ils se demandent si je saurai vivre seule et me nourrir convenablement. Ils ont peur que je me fasse agresser et violer. Cela dit, ils semblent comprendre la raison de mon départ.

Pas Judith. Ma tante pense que je suis une sotte, mais elle a perdu ses rêves et n'a jamais tenté de les retrouver. Rien n'est plus triste.

Mon projet de départ a soulevé beaucoup de discussions et de disputes : les dernières secousses d'un tremblement de terre, dont personne n'a mesuré d'abord la gravité, parce qu'il a commencé par la simple chute de quelques pierres.

Je ne pars pas pour retrouver Tom. C'est impossible. Je n'ai pas son adresse, mais je suis sûre que si le hasard nous remet en présence dans un café, dans le métro ou dans une rue pleine de monde, l'arc-en-ciel jaillira de nouveau.

Mon travail n'est pas très important. Je débuterai comme employée de bureau dans un service ministériel qui s'occupe d'ordinateurs et de statistiques. Cela m'ennuiera probablement beaucoup, mais c'est un début. Adieu les portes chocolat, les voies piétonnes et la perspective inévitable d'une vie ultra-conditionnée en pavillon et en Ford Fiesta, avec rien d'autre que la mort au bout.

J'en ai déjà assez de tout cela, mais je ne peux blâmer personne. Personne n'est responsable sauf, peut-être, le lieu ou l'époque.

C'est curieux, tout de même, que l'on puisse changer aussi rapidement. Que ce à quoi on attachait de l'importance n'ait soudain pas plus de valeur que le papier doré enveloppant les chocolats de Noël. Ils sont beaux, appétissants et scintillants, tous rangés dans leur boîte. Prenez-en un, mangez-le et que reste-t-il? Un morceau de papier froissé.

Il doit y avoir des millions de gens comme Tom et moi à travers le monde. J'espère en rencontrer quelques-uns bientôt. Je ne crois pas être vraiment originale ou tordue. Je crois être un échantillon assez commun de la jeunesse actuelle et quelque part, à Taiwan, en Amérique, ou en Italie, j'ai sûrement un double qui va abandonner à la fin de la semaine sa camisole de force.

Évidemment, mes parents me manqueront. Et

le champ de Kickapoo, les escalades à l'Old Knoll, et le bruit du ressac sur les galets de la plage.

Peut-être que je reviendrai en courant au bercail, comme Judith, pour fuir la peur, la solitude et l'incertitude.

Peut-être que, plus tard, je ferai ma vie derrière une porte chocolat et que je défendrai à mes enfants de traverser le pont et de jouer au bord de l'eau.

Qui peut savoir ce que je ferai? Moi, je l'ignore. J'ai encore trop de pays à voir et trop de gens à rencontrer. Il est possible que Tom ait raison et que tout soit pareil ailleurs. Que je poursuive des fantômes, mais il faut que j'en sois sûre.

Judith prétend que je cours après les arcs-en-ciel, et que c'est idiot, car personne ne parvient jamais à en garder un. Judith a tort. J'ai déjà mon petit arc-en-ciel et je l'emmènerai partout avec moi, bien rangé dans sa boîte. Je ne cherche pas à en attraper un autre. Je veux juste en toucher un, grimper le long de ses couleurs, m'asseoir au sommet et, de là-haut, rire à cœur perdu.

Car je veux apprendre à rire et à pleurer. Je veux réaliser mes rêves, quels qu'ils soient.

Je ne veux blesser personne. Ni décevoir ni faire souffrir.

Je suis ce que je suis. Je deviens une femme. Quel genre de femme? J'ai besoin de liberté pour le découvrir et cela, personne dans mon entourage ne semble le comprendre. Ils prétendent que si, mais détournent la conversation trop rapidement pour être sincères. S'ils trouvaient un arc-en-ciel, ils ne verraient probablement en lui qu'un moyen de faire fortune, et ils le vendraient.

On ne peut pas vendre un arc-en-ciel, car il n'appartient à personne. Personne ne peut l'acheter, en réclamer la propriété ou le transformer en lotissement.

Il n'existe que pour illuminer le ciel. Combler l'espace entre deux tempêtes et amener sur nos lèvres un sourire ravi. N'est-il pas à la fois éternel et fugitif, cet arc-en-ciel qui s'évanouit pour resurgir un peu plus tard?

Il est la vie, la beauté, et quand il apparaît dans le ciel, plus rien d'autre n'a d'importance.

C'est ce que m'a appris Tom et c'est ce que je veux croire.

IMPRIMÉ EN FRANCE PAR BRODARD ET TAUPIN
Usine de La Flèche, 72200.
Loi n° 49-956 du 16 juillet 1949 sur les publications destinées à la jeunesse.
Dépôt : octobre 1987.